# Retrouver l'animal en soi

# Béatrice Meilhoc

# Retrouver l'animal en soi
## *Essai*

LE LYS BLEU
ÉDITIONS

© Lys Bleu Éditions – Béatrice Meilhoc

ISBN : 979-10-377-7153-7

# Préface

Par cet écrit, Béatrice Meilhoc a décidé de partager avec d'autres ce qui fut d'abord un chemin intime, une quête d'évolution et de transformation par divers processus d'expériences encadrées particulièrement par le Qi gong et la psychothérapie.

Là où l'on aurait pu s'attendre à une approche complémentaire : d'un côté, le corps et de l'autre, la psyché et le logos, c'est au contraire un chemin, une perspective d'intégration psycho-organique qu'elle vit et élabore. Ceci n'est pas tout à fait surprenant quand on sait que Béatrice Meilhoc est analyste psycho-organique.

Dans la préface à notre livre[1] consacré à l'Analyse Psycho-Organique, les premiers mots écrits par Robert Neuburger sont : « Le corps pense. » Ce que vous lirez dans le livre de Béatrice complète de façon originale et singulière cet aphorisme en vous donnant accès à la description fine et précise de son aventure transformationnelle, faisant apparaître une entité clé « l'animal ».

Cette apparition ne fut pas magique pour l'auteur. Mais faisant confiance à ce qui émergeait d'elle, c'est peu à peu que s'est dessiné, en elle et avec elle, non pas un mouton mais un tigre dans toutes ses composantes sensorielles, charnelles, pulsionnelles et sa sagesse. Acceptant de se laisser agir et

---

[1] Champ, Fraisse, Tocquet (2015). *L'Analyse Psycho-Organique, les voies corporelles d'une psychanalyse*, L'Harmattan.

bousculée par ce phénomène, apprenant à l'explorer et le rencontrer, une voie libératrice s'est ouverte qui lui a permis peu à peu selon ses mots « de retrouver la confiance première, essentielle, sacrée dans la vie ».

Mais l'auteure ne s'arrête pas là. Habitée par les potentialités de son animal, elle affronte, revisite les impasses de ses expériences traumatiques trouvant alors des voies de dégagement à ces situations pathogènes.

Forte de cela, elle revisite certains concepts clé de la psychothérapie, l'inconscient, le soi, le self, le moi corporel et certains éléments de la dissociation traumatique.

Il n'est pas étonnant alors que pour certaines personnes, immobiles et dévitalisées du fait de traumatismes passés, elle leur suggère, de façon très éthique, la rencontre avec leur « animal » puis, dans un deuxième temps, un cheminement avec celui-ci, pour aborder de façon vivante et dynamique les situations traumatiques passées, en appui cette fois sur une souveraineté de soi retrouvée.

Bref, cet ouvrage, singulier et riche, ne manquera pas d'interpeler chacun en le projetant à l'intérieur de lui-même vers des lieux abandonnés de lui avec la question : « Quel est mon animal pour m'accompagner là ? »

Il est aussi une invitation à s'écouter, à se faire confiance dans les voies thérapeutiques que l'on choisit d'emprunter.

Il amène des propositions intéressantes concernant la clinique des traumatismes.

Enfin, je signalerai la posture éthique de l'auteure qui est dans une démarche de partage, d'enrichissement et de recherche sans prétendre à la découverte d'une énième méthode thérapeutique.

Éric Champ

*On ne rencontre pas soi-même avant d'avoir rencontré son reflet dans un œil autre qu'humain.*

Loren Eiseley, *Le voyage immense*

# Introduction

Le monde animal est un monde qui nous est à la fois proche et lointain, inconnu et familier. Il nous renvoie au temps de notre état primitif, instinctif et sauvage, enfoui en nous, presque oublié.

Nous partageons avec les animaux un héritage biologique et comportemental. Ce sont eux qui à l'origine nous ont inspirés dans la manière de chasser, de pêcher, d'organiser la cueillette. Nous avons observé chez eux leurs stratégies de survie, leurs stratagèmes de défense et d'attaque pour capturer leurs proies.

Afin d'améliorer nos conditions de vie, nous avons lutté pour nous extraire de notre vie primitive en nous arrachant à notre condition animale. Toutefois, malgré nos tentatives de renier nos origines, le monde des animaux est toujours resté présent.

Les animaux ont fait l'objet de nombreux symboles, nourri nos croyances et nos contes. Ils ont été largement représentés dans la peinture, la calligraphie, l'architecture... Ils tiennent une place importante dans notre imaginaire et notre symbolique.

Nous portons dans notre corps des traces de ce que nous avons été. La mémoire animale est dans notre chair, au plus profond de nos cellules, dans la puissance de l'incarnation.

Renouer avec ces composantes originelles de notre âme que constituent les matières, les embryons de la vie, et réanimer ces dimensions de notre être cellulaire est fondamental et thérapeutique.

Retrouver l'animal en soi, c'est se réintroduire au cœur d'un lien primitif et réveiller un corps enfoui de puissance animale pour mieux se réinscrire dans le vivant.

# La naissance

Arghhh ! Encore endormie, mon bassin s'élève d'un coup à la verticale retenu par les draps bordés qui viennent de se tendre encore davantage. Il retombe aussitôt lourdement sur le matelas. L'image d'un tigre bondissant vient d'apparaître dans mon rêve, et ce tigre, c'est moi ! Dans un demi-sommeil, je reste encore quelques instants avec cette expérience que je tente de retenir avant que cette enveloppe animale qui m'habite ne m'échappe. Je ne bouge plus pour mieux la prolonger mais progressivement la sensation se dissipe jusqu'à faire disparaître l'image. Je reste immobile, interpellée par ce contact avec cet être primitif, et très vite je reprends conscience que je partage ma chambre avec une autre personne ; je crains alors que mon râle ne l'ait réveillée. Je souris de cette expérience furtive et intense car le lit est si étroit que le mouvement vertical ascendant et descendant de mon corps a été bien calculé : à quelques centimètres près, je me retrouvais sur le sol !

Ce fut mon premier contact avec le tigre.

Nous étions en stage de Qi gong dans une résidence avec mon maître chinois et à notre arrivée il nous avait annoncé le programme de la semaine en évoquant « le Qi gong du tigre » et la force que procure cet animal dans la pratique. Peu loquace, mais au regard plein de malice, il avait terminé son propos en lançant « le tigre, c'est spécial ! ». J'étais amusée par ces mots car il signifiait là qu'il détenait un trésor qu'il gardait un peu caché, un secret qu'il avait l'intention de révéler partiellement à ceux qui feraient le chemin pour le mériter. Il nous avait d'ailleurs rappelé : « Je vous montre le chemin mais c'est vous qui le faites. » Par cette promesse, il attisait ma curiosité et éveillait déjà une énergie joyeuse en moi.

La veille de ce matin-là, nous avions été initiés à quelques mouvements du tigre et déjà je sentais que cette énergie primitive me convoquait quelque part. Le soir à table, après la découverte de cette nouvelle pratique, ma faim était décuplée et nous riions avec deux autres débutants en Qi gong à l'idée que ce tigre avait déjà commencé à m'habiter. À cet art interne tissé d'animalité, quelque chose d'important me reliait.

Dans la poursuite de mon développement personnel dans le cadre d'une formation en psychothérapie, je fis une autre expérience qui allait devenir le point de départ de mon cheminement avec le tigre.

Lors d'un séminaire, une intervenante thérapeute nous présente son travail avec un champ d'argile. Il s'agit d'un cadre en bois rectangulaire rempli d'argile souple et malléable. La thérapeute propose un expérientiel selon la modalité suivante : une personne face au groupe travaille la matière de l'argile pendant une heure les yeux fermés tandis qu'elle l'accompagne dans ce processus.

Ce jour-là, je me sens angoissée, mes jambes sont faibles. Je suis venue à vélo pour être davantage portée sur le chemin et mieux sentir mon assise. En voyant la terre que l'intervenante vient d'apporter, qu'elle touche par petites pressions tout en continuant sa présentation, je sens un besoin intense de toucher à mon tour cette matière. Je décide de me porter volontaire.

J'enfile un tablier et je m'installe face au groupe, assise sur une chaise devant une table sur laquelle est posé le champ d'argile. Je me concentre afin de bien me contacter dans cet espace où les participants se sont positionnés de part et d'autre de la pièce. Leur regard est tourné vers moi. Quelques échanges entre nous, accompagnés de rires qui meublent l'attente, me permettent de planter mes repères avant que mon regard se porte sur l'argile. Je suis maintenant invitée par cette thérapeute à fermer les yeux, à sentir mon corps, et lorsque je suis prête, à poser mes mains sur ce cadre.

Je suis présente à moi-même dans une légère appréhension car je ressens un profond respect pour cette matière, mais confiante car je sens que l'argile n'attend que mes mains pour me guider.

Sans intention particulière, je laisse agir mes mains qui sont dans un premier temps attirées par le cadre avant d'oser toucher l'argile. J'ai le sentiment de retenir ce moment précieux comme un préliminaire à une belle rencontre. J'ai la sensation du bois sous mes paumes, je parcours le périmètre du cadre, ses limites, ses angles pointus, ses côtés lisses. Puis mon corps se relâche, mes mains se détendent. Je les fais glisser jusqu'aux angles extérieurs et en relâchant encore davantage, mes paumes maintenant creusées permettent aux angles pointus de venir épouser le lieu des Lao Gong[2]. Ici, je respire pleinement.

---

[2] Point d'énergie situé sur le méridien du maître du cœur.

Enfin, je décide de contacter l'argile. Je pose mes mains plates sur la surface froide et lisse de cette nouvelle matière. C'est une première rencontre et pourtant j'ai le sentiment immédiat de la connaître ; c'est si bon de la retrouver. Cette matière m'invite à l'explorer. Au contact de cette terre, mes doigts commencent timidement à sentir l'envie de bouger puis de la pénétrer doucement. Je creuse dans la terre jusqu'à toucher le fond du cadre, je reviens en surface, je pétris, et la matière entoure mes gestes et m'accompagne. Elle me donne un contenant, je me remplis. Mes mains savent et me guident là où j'ai besoin d'aller, je suis mon mouvement instinctuel. Je laisse faire l'intelligence des mains, le corps qui se mobilise aussi. Je sens que je pétris inconsciemment, l'inconscient est entre mes mains. Je touche et je suis touchée.

Puis mes mains se font plus fortes dans un mouvement plus intense, l'énergie en moi se réveille soudainement plus sauvage. Alors je me lève, je saisis l'argile et je la force à se modeler différemment, à se transformer. Je prends l'argile, je prends ma vie en main. La résistance avec la matière me confronte. Aux coups portés à la surface, je laisse une empreinte, elle résiste mais elle ne fait pas mal, elle reste bienveillante. J'accompagne chaque mouvement de ma respiration et j'incarne encore un peu plus au fond de mes cellules ; je suis en contact avec mon organique profond[3].

J'ai besoin maintenant de me lever. Debout, mon corps explore davantage l'espace, il se fait plus aérien. Cette fois, ce sont mes poings qui s'enfoncent fermement dans l'argile et

---

[3] Concerne l'instinct, l'inné, l'énergie de vie, l'élan de vie au plus profond de soi – *L'Analyse Psycho-Organique*, Éric Champ, Anne Fraisse, Marc Tocquet, éditions L'Harmattan, 2015.

soutiennent mes pieds qui soudain se soulèvent. Le contenant que je sens me donne un appui et permet à mon centre de gravité de se déplacer dans une autre polarité. Puis à nouveau les pieds à terre, je tente des chemins, j'avance, je recule. La tension retenue, longue, fait maintenant monter la colère à travers les images qui me traversent, je suis déterminée à en découdre, il faut que je transforme ! Je saisis le cadre que je tiens maintenant en l'air par mes mains enfoncées dans la terre. Je ne sens pas son poids initial de 20 kilos. Il est bon de penser que je peux en faire ce que je veux, j'ai le choix. Je décide de le reposer, le cadre se plaque avec empressement sur la table, et je me bats alors avec l'argile qui rompt sous la force de ma détermination, l'énergie au bout de mes doigts je fais exploser la matière ! Elle s'effrite, se dégage de mes mains par morceaux. Dans ce mouvement interne, je me vis de plus en plus compétente, je m'approprie ce que je crée et je me nourris.

Puis l'éruption s'apaise, je relâche. Je m'assois à nouveau. Un petit récipient a été posé sur la table en début de séance, il contient de l'eau, je le sais, elle m'est proposée, mais dans mon expérience c'est moi qui la trouve. Toucher l'eau me fait percevoir d'autres possibles, d'autres chemins plus fluides, plus sereins. La sensation de l'eau sur ma peau m'apporte du doux et je décide de lisser la terre. Dans la douceur, j'explore la possibilité d'un nouveau paysage sous mes doigts, je tente des formes, je creuse plus facilement. Je joue avec l'eau qui fait des petits clapotis quand elle se mêle à la matière. Je construis un semblant de pont, une grotte, j'y entre une main, ça se réchauffe à l'intérieur, j'y suis bien, je me répare.

Puis suffisamment nourrie de cette terre, je reviens vers le cadre en bois du début et j'apporte de l'eau aux côtés pointus et arides. Je lisse le cadre et j'arrondis les angles. Symboliquement, je crée mon propre cadre, plus doux, plus flexible, plus accessible, porteur d'un sens qui est le mien.

À présent, je suis invitée par la thérapeute à revenir dans l'espace du groupe et à ouvrir les yeux. Je découvre alors une réalité différente. L'image de l'argile à l'aspect plat et lisse du début a disparu. J'ai devant moi des creux, des fragments d'argile, des traces de luttes. Sur le sol, çà et là des morceaux de terre jonchent un peu partout et témoignent de la puissance de mon expérience. Je vois un paysage volcanique. Je suis impressionnée par ce que j'ai créé : le chaos. Je me laisse prendre conscience de ma force intérieure qui s'est exprimée là en acte, de ma puissance féminine qui m'appartient. Je suis émue car de ce chaos naît la forme et il me vient plus précisément l'image d'un paysage lunaire.

C'est un processus inconscient que je viens de vivre dans une régression immédiate. J'ai le sentiment d'une naissance qui ne pouvait avoir lieu que par cette déconstruction constructive. Par la médiation de cette matière, je sens une assimilation charnelle du monde comme la venue au monde peut l'être. La forme naît de l'informe. Cela me renvoie à un endroit très lointain de mon être. Et bien au-delà, j'ai le sentiment que je contacte avec cette terre un monde qui précède le primitif, une mémoire… bien avant la genèse de l'humanité ?

La perception du sacré me traverse là intensément. L'argile, cet objet malléable, que j'ai pleinement investi et qui a répondu à ce que j'ai mobilisé et agi, a révélé une partie de moi et en devient une expérience sacrée.

Je reste là en contact avec la puissance de cette expérience sentie dans mon corps tout entier, jusqu'au bout des doigts. L'argile vient de permettre la reviviscence de mon énergie et le contact avec la représentation de mon territoire dans mon rapport au monde. L'effet de contenance, d'enveloppe, dans un dialogue avec la matière, a mobilisé cette énergie volcanique. L'énergie puissante et non destructrice qui s'est manifestée dans mon corps semble venir d'une source inépuisable de mon existence, de ma fondation. Dorénavant, cette trace-là est inscrite en moi et fait référence : j'ai une mémoire, une image sensorielle de l'expérience. La représentation de cette action fonctionnelle, complexe, profondément charnelle devient un ancrage et une identité organique[4].

Ce travail à partir d'une conception inconsciente prend forme dans mon corps, s'inscrit dans mes cellules et m'apprend que je peux être davantage en mouvement dans ma vie.

En me portant volontaire, j'avais l'intuition que je répondais profondément à mon besoin, mais je ne pouvais me douter que cette expérience allait ouvrir sur davantage de possibles et de créativité.

C'est ainsi que le week-end suivant je me rends à ma formation consacrée au Qi gong du tigre.

J'ai alors la révélation que cette énergie ressentie lors du travail avec l'argile est identique à celle dont je ressens le potentiel dans ma pratique du tigre. Je fais le lien, car je suis traversée là par une énergie particulièrement vive. De toute

---

[4] Lien entre ce qui vient du corps et ce qui est de l'Être – *L'Analyse Psycho-Organique*, Éric Champ, Anne Fraisse, Marc Tocquet, éditions L'Harmattan, 2015.

évidence, l'expérience avec l'argile a ouvert une porte et le tigre devient maintenant la médiation qui me permet de reconvoquer cette vive énergie. L'argile me connecte directement avec l'animal que je vais dorénavant nourrir…

# La rencontre

Ce lien avec le tigre occupe à la fois mon espace psychique et corporel. Au quotidien, l'animal devient plus présent.

Il me vient fréquemment des images du tigre et notamment le soir en m'endormant, des scènes où l'animal toujours bienveillant déambule autour de moi.

La journée en dehors de ma pratique, régulièrement cette vive énergie pulse au niveau de mon dos se traduisant par des secousses corporelles.

Elles se manifestent au moment où je sens la répartition globale de mon énergie dans mon corps. Parfois, il me suffit de regarder un objet, de m'en imprégner fortement pour que mon énergie se mette en mouvement par de petites secousses vives. Également dans le métro, tranquillement installée, quand je me sens bien présente à moi-même, d'un coup les secousses surgissent. Lorsque je lis un livre en étant calme et immobile, il m'arrive de sursauter de façon inattendue ! Je jette alors un rapide coup d'œil autour de moi, davantage par réflexe que par souci de vérifier que mon mouvement brusque n'a pas interpelé la curiosité des voyageurs. Car le métro parisien est bien trop indifférent, et je l'aime pour cela, du moins pour l'interprétation que j'en fais : celle du respect de la différence !

Aussi, dans les moments où mon énergie est basse, le tigre apparaît. Il vient me chercher dans une nouvelle stimulation et me porte vers l'avant.

Je sens une force vive dans les images qui me traversent : ce sont les touches du clavier de mon ordinateur ou celles du piano de la salle de pratique de Qi gong qui volent en éclats... Et lorsque mon Maître démontre le mouvement du tigre, je me surprends à réagir par des secousses corporelles à la vision de son propre mouvement.

Je suis parfois appelée par le besoin de bouger mon corps, de me mouvoir à la façon d'un tigre. Je m'installe alors sur un tapis et je prends le temps de vivre ce moment en me laissant guider par le mouvement de mon corps. Je suis le tigre dans ses étirements, sa relaxation et sa marche torsadée. C'est l'expérience charnelle du tigre que je vis.

Ma perception intérieure de mon propre mouvement me rend réceptive au mouvement de l'animal. Ses mouvements émergent spontanément, sans aucune intention consciente, avec ma capacité d'imaginer, d'obtenir des images. Je suis à la fois spectatrice de ces images mais aussi embarquée dans ce mouvement.

Le mouvement de l'animal dont je suis témoin éveille en moi l'esquisse d'une dynamique équivalente. J'ai parfois l'impression de sentir le corps de l'animal quand mon propre corps répond aux incitations conscientes ou inconscientes à agir d'une certaine façon ou à me lancer dans l'action.

Si l'énergie suit l'intention, mon corps également la suit car il sait se rendre disponible.

Un matin, en me lavant les dents, je suis surprise par le mouvement de mon bras : je saisis soudainement dans une main l'eau du robinet en effectuant un geste qui s'assimile au mouvement de la patte du tigre. En levant la tête, le miroir au-dessus du lavabo me renvoie l'image de l'attitude de l'animal. Je reste quelques secondes à observer intensément mon reflet en pensant que ce geste qui s'est agi est instinctuel, avec le sentiment qu'à cet instant je vis l'animal en moi.

Un soir, je dîne avec des amis praticiens en Qi gong. J'en profite pour partager ce que je vis au quotidien avec le tigre depuis le champ d'argile. Leur curiosité est palpable même si nous échangeons avec humour et légèreté. À la fin de la soirée, l'un d'eux se tourne vers moi en évoquant le chamanisme et les rituels où le chaman entre en lien avec l'esprit de l'animal. C'est un domaine qui m'est étranger et pourtant je sens un territoire commun. Notre discussion prend forme en face à face et je l'écoute attentivement.

« J'ai eu une expérience similaire avec un loup », me dit-il. « Un jour, j'ai fait des petits bonds en émettant le son Ouuuu... » Je ris tout en buvant ses paroles. Quelle joie de partager une folie saine ! Il poursuit : « Tu devrais effectuer un voyage chamanique à travers un rêve éveillé, histoire de savoir si ton tigre est ton animal totem, un animal qui peut t'aider. »

Je suis intriguée. Le dîner se termine et nous continuons notre conversation en marchant quelques instants ensemble. Il se fait tard et nous ralentissons le pas dans un désir mutuel de prolonger encore ce moment de partage. Si nous arrivons au bout de cette soirée, nous y reviendrons car cet espace de parole et d'échange est dorénavant ouvert.

Cette fois, nous nous séparons et je me dirige vers le métro. Avant de descendre les marches de la station, pour la première fois, alors même que depuis plusieurs années j'emprunte cet itinéraire, je vois une enseigne qui porte la patte d'un loup ! Je suis stupéfaite de la présence de cette empreinte qui entre en parfaite synchronicité avec notre discussion et qui semble pleinement la valider.

La rencontre de ces deux événements, l'un psychique, l'autre physique, sans influence l'un sur l'autre, sans relation de cause à effet, dont la logique échappe, est une expérience qui me frappe si fort dans ma profondeur psychique que la connexion se crée et le sens s'impose à moi dans une parfaite résonnance.

Je savoure délicieusement ce moment dans mon for intérieur. Il me conforte, réactive ma confiance et m'assoit pleinement dans la vie. Je m'engouffre alors dans le métro avec une joie intense.


Je sens maintenant venir le moment propice à la méditation pour effectuer ce rêve éveillé que m'a conseillé cet ami. Je saisis le livre que j'ai acheté récemment dans lequel figure le rêve et je relis attentivement le protocole à suivre.

Confortablement installée dans mon canapé, en position allongée, ma tête qui repose sur un petit coussin, je ferme les yeux, et dans une profonde respiration je laisse venir les images. Rapidement, un paysage se dessine en noir et blanc. Au loin, il y a une montagne avec ses quelques traits sombres que forment les ombres ici et là. Je suis directement plongée dans un décor d'Asie aux formes dessinées au fusain. Cette montagne m'attire, je m'en approche et je commence à la gravir par paliers. Sur le chemin, quelques espèces animales défilent devant mes yeux mais leur mouvement est fugace et leur forme rapidement s'évapore. Puis au loin, un tigre apparaît : c'est un tigre blanc, aussi blanc que la montagne peut l'être ; tous deux vêtus de leur robe blanche rayée de noir. Lui est situé sur son flanc le plus haut. Immobile, droit, il observe, il est sur son territoire. Puis il commence à bouger et, dans sa démarche torsadée, descend progressivement de la montagne ondulant de tout son corps. Il est là tout proche, il vient vers moi, c'est lui, c'est évident, c'est mon animal ! Nous nous contactons. Je suis éveillée, en pleine conscience, j'ai le souci de respecter scrupuleusement le protocole indiqué. En maintenant présentes ces images à mon esprit, j'interroge alors l'animal sur la façon dont il peut m'aider et l'endroit où il peut se loger dans mon corps. Il me répond en m'entourant la taille et en soutenant le bas de mon dos de son pelage ; l'endroit où j'en ai si besoin. Son corps au niveau de mon sacrum me réchauffe et m'apaise. Ainsi il me parle, je le sens. Nous nous rencontrons.

# L'incorporation

Ma pratique en Qi gong nourrit le tigre et je contacte le désir de pratiquer avec de plus en plus d'intensité, comme une faim, la faim du tigre !

La manifestation de l'animal se fait grandissante. Le soir, au moment de m'endormir, j'ai régulièrement des images qui émergent : je chevauche le tigre, je parcours une distance avec lui, libérée des limites de mon corps je suis transportée dans un voyage où défile un paysage aux multiples facettes.

Cet après-midi, après une séance de Qi gong, j'ai besoin de me poser. Je prends le temps de m'allonger dans mon canapé et rapidement l'image du tigre apparaît. Je me vois jouer avec lui. Il m'accompagne dans un lieu de mon enfance, vers les ponts de chemin de fer, les plaines et les bois. Nous nous mettons à courir à vive allure, bientôt en frôlant les herbes vertes sous nos corps, à poursuivre les trains, à marcher sur la voie ferrée, à s'enrouler autour des barres de sécurité.

Puis d'un coup, c'est le choc : mon tigre est percuté par un train ! Il est à terre, blessé. Comment est-ce possible, lui qui possède la maîtrise du mouvement instinctif ? Il se vide progressivement de sa contenance. Vite, je décide de le mettre en sécurité et le porte sous un pont. J'essaie de lui insuffler de l'énergie pour le remplir à nouveau mais en vain, je ne vois plus que son pelage qui recouvre le sol. Je suis émue. Je ne comprends pas le sens de ces images. Je ne veux pas perdre ce compagnon, je ne peux pas le perdre ! Mais son pelage m'entoure, il prend la forme d'un manteau à capuche. Je pense à « Peau d'âne ». Je ne peux résister à ces images qui s'imposent et qui semblent annoncer sous ce pont un passage nécessaire, le temps de la séparation. Le processus est en route, je me sens progressivement imprégnée de sa substance, de tout son corps qui se diffuse dans le mien, je sens que je l'incarne. Je deviens progressivement ce tigre, c'est à la fois lui et moi. Maintenant confiante, je pars et je m'élance à travers champs dans une course effrénée, j'ai de fortes secousses, je m'enivre des lieux que je traverse avec frénésie, de la vitesse qui me grise, des odeurs qui me gagnent. Dans ce corps qui m'enveloppe et me contient, je me vis avec une nouvelle capacité, je vis mon tigre. Ce voyage terminé, je retourne à une dernière image, celle du tigre paisible qui est couché et qui reste là pour moi.

Les images régulières se poursuivent et dorénavant je suis seule à courir dans les champs, je joue seule, car le tigre c'est moi ! Le tigre fait de moi l'animal, un animal démultiplié. Il me confère sa puissance, sa vivacité et son assurance.

L'animal m'offre une identification possible. En incorporant les qualités inhérentes à cet être relié à sa partie instinctive, je libère les aspects authentiques de mon être profond.

En contact intense avec l'animal, je régresse vers le primitif et les espaces de mon corps propre et de ce corps objet se confondent. C'est de l'ordre de la métamorphose.

Ce soir, confortablement installée dans mon fauteuil à zapper quelques programmes TV à la recherche d'une émission intéressante, je sens soudain une présence à mes côtés. Je détourne par réflexe mon regard de l'écran pour y revenir aussitôt, feignant d'ignorer ce qui me traverse. Mais la perception ne me quitte pas, elle est là, à ma gauche, sourde, si étrange et palpable que je suis contrainte d'éteindre l'écran. J'ai le vif sentiment que le tigre est là ! J'ai la perception du corps de l'animal qui déambule devant moi.

Je connais ce phénomène. Je l'ai ressenti plus d'une fois à l'égard de personnes proches décédées. Mais ce qui m'interpelle ici c'est qu'il s'agit d'un animal, qui plus est un animal symbolique. Un peu déroutée, je vérifie que je suis bien présente à moi-même, en lien avec mon environnement, avec le réel : la perception de la frontière de mon corps n'a pas changé, je me sens bien ancrée dans le sol, consciente des choses autour de moi, j'ai l'esprit clair ; je sais que je ne bascule pas dans une psychose.

Jusqu'à présent, toutes ces choses venaient de mon symbolique[5] et je m'amusais de tout ce matériel psychique. Mais cette apparition me trouble car cette fois elle est extérieure, cela m'est adressé et cela m'échappe.

Cette perception ne dure que le temps d'une soirée mais les jours suivants, sa présence redouble d'intensité. Lorsque je pense au tigre, il apparaît immédiatement à mes côtés. En marchant dans les rues, dans le métro, invisible, il accompagne ma foulée. Je sens mon corps relâché, comme le sentiment que son corps peut l'être, et je me sens une capacité à faire des kilomètres ! Ma perception s'affine, j'aime sentir sa présence et

---

[5] Ensemble des images conscientes et inconscientes qui expriment un potentiel en attente de réalisation. *L'Analyse Psycho-Organique*, Éric Champ, Anne Fraisse, Marc Tocquet, éditions L'Harmattan, 2015.

me laisser instruire par cet autre être. L'animal devient mon compagnon de route.

Plus je me sens en lien avec le tigre, plus je me sens profondément en lien avec les autres avec un intérêt profond pour les espèces vivantes, les documentaires animaliers, les volcans, et l'art en général, la création. Tout ceci me convoque à l'endroit de l'origine des êtres et des choses.

Cette connexion est si puissante qu'elle m'ouvre sur une autre perception du monde : je prends plus largement conscience que ma vie a commencé avant ma naissance et qu'elle se poursuivra bien au-delà sans limites de temps. Je peux ressentir cela profondément. Je ne ressens pas seulement ma vie mais un tout qui fait partie de ma vie.

L'inconscient agit et je fais confiance à ce processus en me laissant guider par la spontanéité et mon élan incompréhensible.

J'intègre maintenant mon animal. Le tigre à l'intérieur, mon corps devient plus assuré dans ma pratique. J'entre davantage dans la matière et mon corps prend largement sa place dans l'espace. Mon esprit devient plus fort. En contrepartie, les images du tigre se font plus rares et je n'ai plus de films qui se déroulent.

Au commencement, il y avait un mouvement de l'extérieur vers l'intérieur, une force que je recevais de façon passive. Puis le mouvement s'est inversé en s'exprimant de l'intérieur vers l'extérieur dans une énergie plus active.

La force passive et la force active ont fait progressivement alchimie jusqu'à l'apparition d'une nouvelle force. C'est l'introjection de la puissance de l'animal. Il est dorénavant mon énergie. Cette énergie se propage comme un nouveau savoir, sans qu'il soit cette fois nécessaire que je fasse appel à l'animal. Progressivement, je le désinvestis en ce sens que ce n'est plus tant son image qui est présente que son esprit, sa trace qui m'habite. C'est l'expérience que j'introjecte.

Une question me traverse un soir : qui me guide dans cette aventure intérieure ?

Une chamane m'affirme que cette expérience est de l'ordre du chamanisme. Elle part dans deux mois en Amazonie et me propose d'intégrer le groupe déjà constitué. Une partie de moi prise par ce mouvement primitif pourrait signer sur le champ, mais l'autre plus rationnelle hésite.

Devrais-je partir à la rencontre des Amérindiens avec l'intention d'ouvrir artificiellement, à l'aide de psychotropes, l'inconscient encore davantage ? Plonger violemment dans l'abîme comme il me l'est proposé ? Un groupe de supervision[6] auquel j'appartiens depuis mon expérience avec le champ d'argile, si précieux et soutenant dans le partage de ce que je vis, m'interroge alors : mon corps pourrait-il le supporter ? Il est vrai que deux verres de vin dans une soirée sont déjà un repère de mes limites…

Mais aussi, quand je me tourne vers le Qi gong, je vois un chemin parcouru dans la présence et l'ancrage. J'aime la terre, c'est ma nature, et la sentir sous mes pieds est un besoin. Prendre le temps et en tirer toute l'expérience, cela m'assure d'un chemin fiable et non d'un chemin dans l'illusion. C'est aussi une phrase de Saint Augustin que je vois écrite dans un livre ce jour-là et qui me confronte : « Il vaut mieux suivre le bon chemin en boitant que le mauvais d'un pas ferme ! »

---

[6] Lieu de cadrage, d'échange, de réflexion et d'approfondissement sur la pratique menée, avec un superviseur formé à cet accompagnement.

La route n'est donc nulle part ailleurs qu'en soi-même. Il n'est pas nécessaire de courir d'autres territoires pour se laisser imprégner par d'autres manières d'habiter le monde. Tout est là, tout autour de nous, en nous.

Dans ma pratique du Qi gong du tigre, je me sens renvoyée à un monde créatif et familier. Cela m'ouvre à une disponibilité et me ramène à la maison, à mon centre. La pratique du tigre est bien « l'art de rentrer chez soi ». Je resterai donc à Paris avec toutes ces fenêtres possibles qui s'ouvrent sur le monde.

Un soir, j'ai un peu de vague à l'âme, les manifestations du tigre me manquent. En sortant de mon cours de Qi gong, dans le long couloir du métro Concorde qui relie à la ligne 8 pour rentrer chez moi, j'entends progressivement en marchant une musique dont les notes me semblent familières. Je presse le pas et la musique se fait plus claire. Au moment précisément où je passe devant le musicien, spontanément les mots me viennent et j'accompagne le chanteur de ces paroles : « Eyes-of-the-tiger ! »

Quel intense réconfort que le tigre qui se rappelle à moi, témoin d'un univers vivant dans lequel les signes offrent toujours un chant.

L'animal est ainsi : le visible dans l'invisible, telle une présence/absence. Je suis alors incitée à suspendre toute réflexion pour me laisser porter comme par une matrice affective.

À chaque doute qui me mobilise, le tigre réapparaît.

Il est là qui surgit à ma face parfois sur des panneaux publicitaires que je croise, sûrement en guise de clin d'œil...

Aussi là, le jour où la rame de métro dans laquelle je suis installée s'arrête juste devant une affiche. Assise dans le rectangle de six personnes, face au quai, les yeux rivés sur mon portable, je lève instinctivement la tête et à travers la vitre, je suis percutée par la vision d'une gueule de tigre et de son regard perçant qui me fixe.

À Noël, en me promenant sur la plage, un tigre grandeur nature est allongé sur la digue. Sa représentation est magnifique, il semble comme toujours appartenir à personne. Pendant quelques minutes, je suis seule avec lui. Je m'interroge sur sa présence avant que des enfants surgissant de nulle part ne se l'approprient. À cet instant, je ne sais à qui profite le plus ce cadeau posé là, criant de réalité.

Et à chaque expérience de ce tigre trouvé, je retrouve la confiance première, essentielle, sacrée en la vie.

*****

C'est le troisième jour de la nouvelle année, l'année du singe en Chine, également mon signe. Ce jour-là, je franchis une nouvelle étape dans mon processus d'intégration du tigre : en pratiquant de façon relâchée et sans intention, soudainement une vague énergétique partant du bas ventre remonte jusqu'à la gorge et fait sortir un son assimilable au feulement du tigre ! Ce son tant évoqué entre pratiquants... je réussis enfin à feuler [7]!

Si ce son n'est pas un but en soi, il révèle que ma pratique s'affine et agit.

---

[7] Une pratique du Qi gong du tigre bien menée peut libérer l'énergie jusqu'à provoquer un son qui rappelle celui de l'animal.

Ce mouvement me paraît si simple qu'il en est déroutant ! Alors que la porte d'entrée pour accéder au tigre était riche en symbolique, ce mouvement-là me ramène à un mécanisme corporel incroyablement concret. C'est donc cela feuler ?

« Oui, c'est ça, c'est bien, continue... mais sans chercher à feuler à nouveau », me rétorque mon maître.

Dorénavant, dans la poursuite de ma pratique, je ne dois rien attendre, juste laisser émerger ce qui vient. Car pour que quelque chose advienne, il faut être disponible, à la fois engagé dans ce que l'on fait et dégagé de toute attente de résultat. Si je n'attends rien, je ne peux que trouver ; à l'inverse, si j'attends quelque chose, je ne trouve que ce que j'attends.

Je comprends alors que rien ne s'oppose à la manifestation du tigre, à une nouvelle expérience, rien sinon l'attente que j'en ai.

Sur ce chemin, je pars de ce que je suis, de mon corps, de ce que je sens et je contacte la simplicité sans laquelle rien ne peut être atteint ni construit. Dans cette légèreté, je suis portée par ce que je sens d'essentiel et j'entrevois à partir du simple un accès au complexe pour trouver la quintessence à extraire.

C'est la quintessence du Qi qui est à la fois l'énergie vitale et l'influx spirituel, le Qi dans ce qu'il a de plus délié et de plus intangible tout en étant parfaitement concret.

Mais quel est donc ce lien qui me relie au tigre ? Quel est le sens de cette rencontre, que dois-je apprendre ou réapprendre ? Que dois-je revisiter, réveiller en moi ? Me vient alors le récit d'une scène qui m'a été relatée car trop petite pour m'en souvenir :

C'est un jour de ciel bleu et de vent léger, je suis dans mon berceau, bébé, mes yeux sont grands ouverts comme pour tout saisir de ce nouveau monde, mon regard est attentif à la vie, au mouvement de toute nouvelle chose. Le vent soudain se lève et fait bouger les branches d'un grand arbre. Leur ombre danse alors sur les murs et d'un coup je ris aux éclats !

Cette énergie de vie, c'est celle du tout début, du tout petit enfant, celle qui met en lien, qui s'accorde et répond au vivant.

Dans mon corps et mon inconscient, la vie bouillonne. J'ai maintenant besoin de donner du sens, de l'analyse à ce que je vis là. Les grilles de lecture psychanalytiques qui m'ont été données, je veux les réouvrir, les parcourir à nouveau pour tenter de comprendre ce cheminement autant que le vivre.

# L'énergie primaire

L'alliance avec mon animal et l'énergie qui me traverse m'amènent à faire des liens avec deux instances psychanalytiques : le Ça et le Moi.

L'animal est l'instinctif, le biologique, et c'est le Ça en moi qui agit là, le Ça de Freud, cette part héritée de l'inconscient, le principal réservoir de l'énergie pulsionnelle et la « terre étrangère interne » que constitue le refoulé.

Cette terre me ramène à l'argile où mon inconscient s'est joué et où mon énergie primaire a frayé son chemin dans un tracé guidé par mes pulsions.

L'énergie primaire renoue avec Chaos, le désordre, au commencement du monde. Elle n'a pas de forme, pas d'orientation, elle n'est pas organisée dans une intention, elle n'est ni bonne ni mauvaise. Elle est l'énergie créatrice et porteuse de la vitalité de chacun d'entre nous.

C'est bien ce chaos qui m'est apparu à la vue de l'argile éclatée, le Chaos avant que naisse la forme. Cette forme est cette identité que l'on se crée à travers des processus d'identification, des formats corporels, des comportements introjectés, ceux de nos parents, de nos enseignants. C'est aussi la façon dont on est identifié par le regard de l'autre. La forme se façonne face aux situations de notre environnement auxquelles parfois contraints nous nous adaptons.

Cette forme, c'est aussi le Moi, le lieu de l'identité qui prend racine dans l'inconscient et émerge à partir de sensations éprouvées en s'affirmant par le Je dans la parole. Le Moi qui se constitue par identification à notre entourage, confronté aux normes, aux exigences, aux reproches. Lorsqu'il ne lui est pas possible de les concilier ou de répondre par l'action, il se soumet à des limitations inhibantes, se défend par le refoulement ou bien se clive en parties séparées.

De cette identité, de ce Moi parfois trop lisse ou clivé, le Ça vient m'interpeler pour m'en dégager ou du moins en bousculer la forme. Le Ça n'a pas d'âge, il n'a pas de règle de temps ou d'espace, pas d'interdits. Tout peut se recontacter aujourd'hui, se transformer, il y a du possible et l'animal est mon allié !

Avec l'animal, je recontacte mon énergie vive lorsque j'étais petite. Le Ça au tout début, si puissant chez l'enfant et le sauvage, et qui a fait place au Moi, partie du Ça modifié par l'influence du monde extérieur plus raisonnable et qui tend à restreindre.

L'animal, par sa détermination, peut convertir la volonté du Ça en action et permettre au Moi de s'affirmer.

Le Ça est le réceptacle d'un potentiel et nous naissons tous avec du potentiel.

Une des sources de la souffrance est l'impossibilité d'avoir pu développer sa créativité par manque d'accueil de son environnement. Au sein des familles existent des différences de rythme. Le rythme de l'enfant est celui de la découverte et de l'exploration, bien différent du rythme de l'adulte qui est souvent décalé avec son rythme biologique. L'épanouissement dépend des conditions d'environnement favorables qu'on offre au potentiel créatif. Le potentiel non réalisé est une souffrance et, si on ne peut se réaliser, on s'organise contre la souffrance et on finit par se dé-potentialiser.

En tant que bébé, je ne sais pas ce que je cherche mais quand je le rencontre, je sais ce que je cherchais, car ma joie est immense. Avec le tigre, je ne cherche rien, mais embarquée dans ce mouvement primitif, vierge de tout préjugé, quand je trouve, je redécouvre une partie de moi-même et je sais alors ce que je cherchais.

Quand, face à la mer, je suis traversée par des images de cette mer qui se retire et qui s'ouvre et dont la puissance me bouleverse, je sens qu'il y a du potentiel en moi qui a été refoulé et qui s'exprime organiquement. Là, je sens un gisement de créativité.


Je continue à nourrir mon tigre en adoptant ses postures. Mes mains en forme de griffes et mon attitude à l'image de son énergie, au regard fort et déterminé, m'aident à pénétrer l'esprit de l'animal. Je sens le courage, la volonté et le lâcher-prise. Parfois, je reste immobile en position Zhuang gong[8] tel le tigre face à sa proie, focalisé sur son but à atteindre, inébranlable, symbolisant la force tranquille, la puissance et la souplesse dans l'action.

Je sais que si je prolonge l'immobilité, je peux accumuler l'énergie jusqu'à libérer la puissance latente du corps et provoquer « le feulement du tigre ». C'est ici que l'animal « à

---

[8] Qi gong statique destiné à renforcer le Qi.

l'arrêt » retient son besoin intense de bondir sur sa proie, retenue qu'il s'impose dans une parfaite maîtrise pour assurer le succès de l'élan final. Il est comme un arc qui se tend avec souplesse, et qui ensuite retient, avant de libérer la flèche incisive qui atteindra son but.

Dans l'expérience du tigre, l'immobilité et le relâchement transforment l'essence originelle, le Jing, en énergie, le Qi. Cette essence originelle mature dans une zone au niveau du dos appelée le Ming Men, centre de gravité et véritable moteur du corps autour duquel s'articulent les mouvements de la taille et par où l'énergie s'origine. Il me faut donc ouvrir cette zone ou plus précisément contacter une sensation intérieure d'ouverture afin de faire émerger cette énergie. C'est mon regard intérieur qui permet de mobiliser mon potentiel énergétique.

Le Ming Men est cette porte d'entrée qui permet ce possible. Il est générateur d'une dynamique de transformation grâce à la représentation profonde du self médiatisée par l'animal.

Pour cela, je m'affranchis de toute intention, du vouloir. Voir sans regarder, entendre sans écouter, être simplement là.

Le Ça est un grand réservoir de libido qui contient les passions et l'énergie d'investissement. Avec le tigre, par l'absence d'intention, de vouloir, l'inconscient s'exprime dans cette source bouillonnante.

C'est le chemin du Yang à travers le Yin. Je contacte d'abord le Yin en allant au bout de l'immobilité de mon corps, en vidant mon esprit, en étant détendue. Puis il y a un temps où je sens que tout est doux autour de moi. Je cultive ce doux pour le laisser diffuser et permettre ensuite au Qi de se répandre dans une globalité corporelle. Alors le Yang se manifeste à l'intérieur : je suis focalisée, ferme et prête à bondir. L'alliance du Yin et du Yang crée une sensation de force et de relâchement.

Dans une présence à moi-même qui offre l'ouverture, je répète la forme toujours dans un mouvement interne mais qui chaque fois émerge différemment, il n'y a pas de permanence. Je laisse le Qi me traverser. À cet instant, je sens que je vis un acte de création dans un laisser-faire qui est sans cesse remis à l'ouvrage.

C'est un moment de liberté d'être qui passe par la sensation d'être et rien d'autre.

Ces moments vacants sont précieux car ils offrent la possibilité de se sentir pour ensuite se rassembler. Dans ces instants de présence à soi-même, on a le sentiment d'appartenir au monde avec une conscience élargie. Cette énergie qui s'accumule dans le silence et l'immobilité apporte la sensation d'être contenu par son propre contenant, un corps dont on a la conscience des limites, un schéma corporel dont on dessine les contours.

L'énergie primaire qui s'affermit me donne par petites touches vives une sensation d'électricité. Mon corps vibre alors sur une autre fréquence avec une poussée qui me met en mouvement.

Des images furtives de situations passées apparaissent ou des perceptions qui semblent être du matériel psychique inconscient me traversent. Je regarde alors ce qui défile, je laisse faire dans une présence habitée par la force qui me relie à l'animal.

Ces secousses viennent du plus profond de l'organique[9] où se trouve le mouvement de l'impulsion. Grâce à l'animal, je suis à cet endroit en contact avec mon organique profond, c'est le lieu de la sensation, le cerveau primitif est sollicité, il n'y a pas de pensée, seulement un réflexe instinctuel. Là, je peux renouer avec une source vivante, un principe créateur branché sur la vie.

Mon inconscient s'exprime aussi dans des rêves récurrents : *je suis dans mon appartement et je découvre une nouvelle porte. Intriguée, je pousse cette porte et j'entrevois un nouvel espace à aménager. Le lieu est chargé d'objets déposés en vrac, certains sont à jeter, d'autres peut-être à garder. Un tri s'impose et je perçois immédiatement le potentiel de cette nouvelle pièce.* Au réveil, je finis par penser qu'il faut que j'explore un espace en moi.

Dans un autre rêve, *j'ai le sentiment très vif d'avoir commis un meurtre ou d'en être complice et je suis sur le point d'être découverte.* Au réveil, je suis soulagée mais je m'interroge : y a-t-il une partie de moi que je m'efforce de nier ?

Ce lieu de la psyché où se rencontrent les rêves constitue l'habitat de la nature instinctuelle, sauvage. C'est en décidant d'explorer le tigre plus en profondeur, de raviver de la créativité, de la vie, que ces rêves ont cessé.

Si on accepte d'être guidé par ses instincts, on peut ressentir sans aucune entrave les sensations physiques d'énergie et de

---

[9] Concerne la vie du corps régie par les systèmes neuro-végétatifs du cerveau reptilien. Il s'agit de l'instinct, l'inné, l'énergie de vie, l'élan de vie au plus profond de soi – *L'Analyse Psycho-Organique*, Éric Champ, Anne Fraisse, Marc Tocquet, éditions L'Harmattan, 2015.

vitalité quand elles pulsent. Alors on peut se sentir incarné et en contact avec l'essence de son être tout entier.

À force de pratique et d'ouverture du Ming Men, les secousses pulsent plus fortement à l'intérieur de mon corps traduisant une énergie qui demande à sortir encore davantage.

La confiance qu'apporte l'animal remplace la peur et l'impuissance. Il donne le pouvoir d'agir et de faire sortir de l'inhibition. Cette base solide dépend de la qualité de l'énergie accumulée au départ renforcée par le travail avec les reins en contact avec le Ming Men. Dans un bon fonctionnement, les reins s'opposent à la peur, c'est le vouloir-vivre.

Je perçois cette polarité Yin/Yang comme un choix qui s'offre à moi : maintenir cette énergie pour en faire quelque chose, ou bien relâcher et rester dans le retrait.

Mais pour que le tigre se manifeste, et moi que je me risque, une question se pose : suis-je prête à la vie et à la mort ?

Avec le tigre qui m'habite, dans cette énergie primitive, je suis prête à mourir pour ma vie.

# La transformation

Les secousses corporelles, en dehors de la pratique du Qi gong à laquelle je m'adonne de façon plus intense, se font plus régulières, le tigre m'habite en permanence.

Lorsqu'une image agréable vient à ma conscience, les secousses se manifestent comme pour stimuler tout mon corps de cette pensée positive.

De même quand des pensées négatives me traversent, des secousses surgissent. Mais ce qui m'interpelle fortement, c'est que ces secousses font disparaître immédiatement la perception négative de ces pensées.

Je songe alors à la force de l'onde et il me vient l'image de mon surmatelas ! Il épouse la forme du corps et, à certains endroits, il y a inévitablement des creux, des vides et des pleins. Régulièrement, je m'applique à le secouer afin que les plumes se répartissent équitablement sur toute la surface. Le mouvement que j'effectue alors par à-coups est celui d'une onde qui doit être plus forte que la résistance de la stagnation de la plume afin que celle-ci se déplace.

En observant ensuite la surface bien plane créée par la répétition du mouvement, j'en conclus que lorsque je transmets une information différente, la matière se modifie.

De la même façon, les fortes secousses qui se manifestent en moi viennent libérer l'émotion qui me traverse. Ces secousses qui interviennent permettent la modification de l'information initiale en remettant mon corps dans son alignement pour retrouver ma propre ondulation.

Les pensées négatives possèdent une fréquence et modifient notre énergie, notre vibration. Tous les éléments étant reliés à une onde, les secousses permettent alors de se réaligner sur une juste fréquence en dissipant l'affect qui est rattaché au souvenir qui dérange et de restituer ainsi sa propre vibration.

Je pense à mon chien que nous avions lorsque j'étais enfant. C'était un pointer, un chien de chasse dont j'observais d'ailleurs la magnifique posture quand il se mettait à « l'arrêt ». Après un stress, il se secouait fortement et semblait ainsi évacuer une énergie stagnante. Ses secousses par réflexe instinctif généraient un mouvement profondément interne qui semblait restaurer une régulation en remettant son corps naturellement en mouvement.

Les perturbations émotionnelles sont des états que nous partageons avec les animaux. Ils vivent parfois des moments intenses où il est nécessaire d'échapper à sa proie pour survivre. Ils s'autorisent alors par leur mouvement à se libérer rapidement de leur prédateur : c'est souvent la fuite face au danger, en courant, en grimpant aux arbres.

Lors d'une formation sur le comportement des animaux et le traitement de leur traumatisme, je constate que pour ceux dont le mouvement est impossible, la décharge n'a pas lieu et les effets de la perturbation s'installent dans le corps. Le ressenti de la perturbation reste actif et affecte au-delà de l'événement.

Je me souviens d'un chien qui, très jeune, avait subi des maltraitances. Sa nouvelle propriétaire, responsable d'un institut de toilettage se désolait de voir son chien effrayé par le balai qu'elle passait régulièrement dans la journée. Le chien à la vue du balai quittait son panier, se recroquevillait et allait se réfugier dans un coin de la pièce. Le balai semblait rappeler un bâton ou un objet autre qui aurait servi de châtiment. En l'observant, je constatais qu'il y avait d'autres points de perturbations visuel et auditif : il ne supportait pas le bruit du balai lorsqu'on le posait contre le mur et l'amplitude du mouvement qu'effectuait sa maîtresse en balayant le mettait dans un état d'insécurité.

Je suppose que ce chien qui a évolué très jeune dans un environnement insécure, n'a pas pu évacuer par le mouvement du corps ses sensations de peur. Attaché constamment, il en était empêché. Il a ainsi gardé la trace corporelle des événements traumatisants.

Je ne peux m'empêcher de faire le parallèle avec nous autres, êtres humains, dont l'expression du corps est régulièrement empêchée par nos comportements sociaux bien établis et définis selon des codes bien précis où il est important de se maîtriser en toutes circonstances. Si toutefois nous pouvions nous autoriser à laisser aller nos réactions corporelles instinctives, à vivre le mouvement de notre corps en fonction de l'énergie qui nous traverse, nous pourrions de toute évidence mieux réguler nos émotions.

Car en laissant libre cours aux secousses, c'est une énergie résiduelle, non exprimée et stockée dans le corps, que je soulève. Grâce à l'énergie accumulée au niveau du sacrum, les secousses mettent en mouvement ce qui est stagnant pour libérer cette énergie primaire. Elle permet la dissipation de mon ressenti et le retour à ma propre vibration.

Ce mouvement réflexe prend naissance dans la rencontre avec l'animal.

Retrouver l'animal en nous c'est contacter notre énergie primaire mais aussi accepter davantage nos sensations internes car on ne peut alors renier ce lien fort au primitif. L'agressivité alors devient saine, c'est du plaisir et du bien-être dans le fait de se sentir vivant et rattaché à l'origine de ce que nous sommes vraiment.

C'est en partant du corps que je continue mon exploration. Et je souhaite aller plus loin dans la nature de l'information qui déclenche mes secousses avant même que les perceptions négatives ne se dissipent.

Lors d'une pratique du tigre, alors que les secousses se manifestent, je saisis l'instant pour identifier l'émotion qui me traverse : la honte. Je sens que c'est la honte qui a laissé une trace des expériences passées devenues inconscientes car ici il n'y a pas d'images. Cette honte semble venir de loin, refoulée, engrammée dans ma chair et mon sang, comme des particules, des substances irritantes demeurées dans la psyché inconsciente, porteuse d'histoires qui se répètent, d'injonctions inutiles, d'abus de pouvoir, d'autorité autoritaire, celle qui use et abuse. Faire sortir par les pores de ma peau ces sensations pour en finir avec les répétitions qui entravent le mouvement, là jaillit une opportunité à transformer ce qui a été.

Dans ce processus régressif qui révèle des émotions profondes, des réminiscences organiques, grâce à la présence du tigre, je me sens soutenue, mes reins sont forts.

À travers les secousses qui se répètent, je sens par à-coups que je décolle de l'autre qui tente de s'imposer. Je le mets à distance. Ma conscience alors s'élargit et je comprends que cette honte ne m'appartient pas. C'est la honte de l'autre qu'il me fait porter.

La honte existe parce que l'autre est là, elle ne vient pas naturellement de soi, elle co-existe.

Je peux sentir que ces secousses qui surgissent face à la honte sont colorées de rage. Ce n'est pas tant la colère qui est adressée à une personne qu'une rage qui secoue le corps pour se dégager de l'autre afin de se retrouver. Dans cette rage, il y a un mouvement de contre-attaque. À travers les réflexes de secousses, je sens un noyau dur qui reste debout face à tout danger ou toute violence et qui est prêt à tout pour s'en protéger, un positionnement comparable à celui de l'animal prêt à bondir. Je peux alors regarder l'agresseur dans les yeux sans peur, le regard intense et déterminé. Ici, l'esprit est fort comme la lame du sabre dans son fourreau. C'est la réaction primitive de la survie pour soi en respectant son prochain comme les animaux peuvent le faire dans la chaîne alimentaire : ils tuent, mais par instinct de préservation et non par plaisir ou vengeance.

C'est de l'énergie primaire qui réagit en retour de façon impulsive et instantanée, c'est un combat loyal, un duel en face à face comme autrefois chez les hommes qui avaient de l'honneur !

Ma détermination par la présence ressentie du tigre est inébranlable.

Accompagnée dans mon mouvement, j'exprime ce que je sens à travers ma force et mes impulsions primitives. Les pulsions libidinales et agressives s'intriquent entre elles dans un ressenti archaïque où se mêlent à la fois le plaisir et la possibilité de s'emparer de la scène dans une confrontation.

Cette nature instinctive qui me traverse, qui peut tuer, sert à anéantir ce qui doit mourir ou ce à quoi elle doit mourir dans le quotidien. Car ce qui a été incorporé peut se transformer en se réappropriant un espace où ce qui détruisait peut dorénavant aider à construire librement.

La honte coupe l'homme de sa nature instinctive qui procure de la joie et la sensation de liberté. La rage qui accompagne le mouvement du corps est l'antidote à la honte et permet grâce à l'intense énergie de se sentir vivant.

Je sens que la rage est une énergie qui entame un processus de transformation pour ensuite tout disperser ; mon énergie libérée peut alors retourner à sa créativité.

Un matin, un souvenir se présente à moi : petite, je suis triste, je pleure, et mon état émotionnel fait rire les personnes autour de moi qui s'amusent à enregistrer mes pleurs. Immédiatement, en réaction à cette scène, des secousses vives dans mon corps se manifestent. Ici, c'est la honte de l'enfant que je contacte avant même la colère de l'adulte que je suis. Je laisse le temps aux secousses d'effectuer le travail de transformation. Une fois celles-ci apaisées, je vois la situation initialement perturbante comme un lointain souvenir sans affect. Tout devient lisse, il n'y a pas de relief, la couleur de l'image est uniforme, tout est calme et silencieux. La petite fille observe la scène et l'adulte est là pour elle. C'est comme revenir adulte dans un lieu à l'époque où l'on était enfant, un lieu jadis chargé de souvenirs inconfortables : on s'aperçoit que plus rien ne se passe, c'est fini, maintenant tout est simple et léger. Le souvenir a bien été traité. Sur le moment, je m'étonne de la courte durée de la manifestation des secousses et de la rapidité de la transformation, mais très vite je comprends que sur le registre de la honte, le terrain a déjà bien été débroussaillé. En cheminant dans un réseau d'information similaire, le travail précédent a considérablement aidé au processus de réparation.

À travers des réminiscences, je revisite des lieux.

L'animal mobilise chez moi une énergie différente, une nouvelle représentation intime de moi-même.

Le sentiment que je peux m'en remettre à l'énergie de l'animal s'instaure et progressivement il prend place avec son énergie qui se concentre dans mon corps, s'accumule et remplit. Mon corps est contenu par l'énergie primitive qui l'habite. Une relation de type affectueux s'institue avec l'animal et je peux sentir un lien d'accordage. Dans cette nouvelle affectivité qui s'engage à travers mon corps propre, l'animal m'apporte son soutien.

Je sens alors l'unité de mon corps restituée que je perçois comme une existence quasi corporelle, et je peux sentir à nouveau les ressources d'un contenant comme une réalité sensorielle.

L'animal, grâce à une continuité d'échanges d'introjection et de projection, représente l'Autre symbolique, fiable. La présence de l'animal n'est pas seulement dans un rapport de soi à soi, c'est aussi un compagnon sur lequel je m'appuie pour affronter.

Il est une forme vivante incarnée qui permet d'aller puiser les forces instinctuelles du noyau sain[10]. C'est une force que je m'approprie en inscrivant la transformation dans ma chair. Ce qu'il faut entendre par la force de l'animal, c'est aussi sa douceur que je vis dans le corps. Si la force donne l'assurance pour « aller vers », le doux recompose et unifie.

Confiante de ce qui agit en moi, je me laisse guider pour expérimenter de nouvelles solutions.

J'explore cette fois une situation récurrente dans laquelle j'éprouve à la fois du plaisir et de l'angoisse. C'est le moment qui précède mon arrivée en consultation thérapeutique. À la sortie du métro, en direction de l'immeuble, le stress me gagne immédiatement. Et à l'approche de la porte cochère, une peur m'enveloppe avec une sensation de froid. Je me sens survivre dans une contrainte que je ne peux refuser car rationnellement j'ai le désir de me rendre à ce rendez-vous hebdomadaire.

Comment puis-je sortir de cette répétition ? Assise sur mon canapé, les yeux fermés, les pieds posés au sol, bien ancrée, j'ai le visuel : mon tigre est au fond d'un puits et tente en vain d'en sortir. Une corde est à sa portée mais, à chaque tentative de l'agripper, il glisse et tombe à nouveau dans l'eau ; le tigre traduit mon état intérieur. Je laisse venir les images et, dans le silence et l'immobilité, je sens que j'accumule de l'énergie. Des secousses émergent soudainement en moi et accompagnent le mouvement du tigre en transformant la scène : je vois maintenant le tigre se hisser progressivement. Il gagne du terrain avant de retomber une nouvelle fois dans l'eau stagnante. Puis les secousses se font plus fortes, le tigre

---

[10] Partie profondément vivante et bienveillante en chacun de nous, exempte de toute tendance destructrice ou mortifère. *L'Analyse Psycho-Organique*, Éric Champ, Anne Fraisse, Marc Tocquet, éditions L'Harmattan, 2015.

redouble de ténacité, déploie toute sa puissance, je le vois qui atteint un palier où il se pose pour, dans une dernière impulsion, gagner le haut du puits et en sortir. Je refais plusieurs fois ce chemin jusqu'à obtenir des images fluides sans entraves.

Cette visualisation se calque parfaitement sur cette scène existante où il s'agit en effet de me dégager d'un mécanisme de répétition en entrant sans angoisse dans un lieu, monter les escaliers et arriver à un étage devant une porte.

Quelques jours après, je suis confrontée à cette réalité. Comme à mon habitude je suis en avance à mon rendez-vous. Mais cette fois en me promenant non loin de l'immeuble, je constate que j'apprécie étonnamment ce qui m'entoure. J'observe avec intérêt les façades des immeubles de ce $2^e$ arrondissement tout près de l'Opéra, leurs pierres qui pour certaines ont traversé le temps, je regarde avec plaisir les gens qui hâtent leur pas pour se rendre au travail, un homme à une terrasse de café qui avale sa dernière gorgée avant d'attraper un croissant et filer ; j'entends le léger « tac » qu'émet un vieux vélo à chaque tour de pédalier dans une petite rue quasi déserte qui rappellerait presque un chemin de campagne, au loin les bruits des voitures qui déferlent ; je sens mon corps détendu, une petite brise qui surgit. Le cœur de Paris s'éveille à son rythme habituel et je suis là en pleine conscience de ce que je vois, ce que j'entends, ce que je sens. Je passe devant une galerie d'art, je croise le tableau aux nombreuses formes et multiples couleurs que j'ai pris l'habitude de scruter pour tenter de me recentrer. Cette fois, ce n'est pas nécessaire, je laisse simplement mon regard glisser sur la toile en pensant que je préfère le contemporain.

J'observe ce qui se joue pour moi dans ce changement radical de perception : je n'ai plus de peur, plus d'angoisse. J'habite le présent. Je vois alors défiler les événements de ma vie passée remplie de moments subis, d'impuissance, de figement, de « faire avec ». Ce que je vis là est tout simplement le contact avec le réel, un réel si clair, si léger, si simple que j'en suis bouleversée.

C'est l'heure de mon rendez-vous, je passe maintenant la porte de l'immeuble. Je sonne à l'interphone dont le son n'est plus aussi strident, le petit clic de la porte qui y répond se fait aussi discret, presque sans intérêt. La porte poussée, je m'engage vers les marches que je monte une à une en appréciant le tapis feutré sous mes pieds qui amortit mon pas. À chaque nouvelle pression sur la marche, j'entends le léger craquement du parquet recouvert et qui me rappelle que j'aime l'ancien. Je songe alors que sous mes pas, il y a la mémoire de ceux que j'ai déjà posés, lourdement, et je m'observe maintenant à valider pas à pas ce qui déjà demeure en moi, ce que j'ai incorporé, car de cette transformation, mon corps en est déjà empreint. Arrivée sur le palier, je prends le temps de mesurer l'importance de mon ascension, de ce parcours sans affect, si naturel. Il est l'heure de sonner, la porte s'ouvre et je peux enfin rencontrer cette personne dans l'ouverture et la sérénité. Cette fois, j'ai le sentiment que c'est moi qui l'accueille. Je me dirige en silence vers le canapé où je m'assois face à elle. Je sais que je viens de franchir une étape que je vais partager avec elle, entendre mes mots. Mais avant c'est l'émotion qui me submerge, je lâche, et je me laisse pleurer sur celle que j'ai été et sur tous ces chemins encombrés, chaotiques, sur lesquels j'ai tracé ma route.

Je sors enfin de cette répétition qui sans cesse me ramenait inconsciemment dans un lieu sombre, comme au fond d'un puits pour sûrement tenter de demander pourquoi, seule, emmurée dans le silence sans personne autour. Au fond, il n'y a rien à comprendre, ça s'est passé. Et de ce passé, il est temps de remonter me dit le tigre en me ramenant d'un bond à la surface !

*****

La nécessité d'explorer encore plus largement du résiduel s'impose à moi.

Dans mes expériences, j'ai la sensation que c'est le corps qui réagit en premier à l'impact avant de transmettre l'information au cerveau. Il semble être le premier frappé avant même que cela n'arrive à la psyché. Le corps reconnaîtrait-il l'origine de la menace avant que celle-ci ne soit pensée ? Tout serait-il déjà là dans le corps comme une énergie avant l'élaboration ?

Une amie m'emmène un jour dans un magasin du 6e arrondissement pour me faire découvrir un lieu tout à fait incroyable. Elle s'est gardée de me donner au préalable le nom de cet endroit pour m'en faire la surprise.

En entrant, je reconnais immédiatement le lieu. Fréquentant régulièrement ce quartier, je m'y suis déjà rendue. Je parcours le rez-de-chaussée en me demandant ce qu'il y a bien de particulier à voir qui m'aurait échappé, mais elle m'interpelle pour la suivre au 1er étage. Étrangement, je n'étais jamais montée à l'étage… Arrivée en haut des escaliers, en effet je fais face à cette surprise que je reçois de plein fouet ; un choc qui me percute, mon estomac se serre. Je suis abasourdie : devant moi des animaux grandeur nature. Ils sont imposants, expressifs, avec leur gueule et leur corps impressionnants qui m'écrasent sous le poids du respect que je leur dois. Dans cette galerie de fauves, de mammifères de tous les continents, je suis cernée. Je marche doucement car soudain une sensation de faiblesse me gagne dans les jambes. Je cherche immédiatement le tigre parmi tous ces animaux de peur qu'il ne me surprenne et n'ajoute encore davantage à ma stupeur. Je suis en apnée, j'ai chaud, je redoute de le rencontrer. D'un coup, je m'arrête. Mon regard vient de croiser le sien. Je m'approche, je me positionne face à lui, je m'efforce de soutenir son regard pendant qu'une profonde tristesse m'envahit car il est bien là, dans ce lieu où il n'a pas sa place ; je veux m'en excuser auprès de lui. Je retiens mon émotion car je ne souhaite pas décevoir cette amie qui se réjouit de sa surprise. Je lui demande alors à demi-mots : mais ils sont empail… ? Je ne peux terminer ma phrase. Je connais la réponse. « Oui, c'est le principe de la taxidermie », me rétorque-t-elle.

Je suis époustouflée, mon corps se tord à retenir mes larmes et une grande fatigue me gagne. En quittant le lieu, tout en sachant que ce travail est réalisé dans le respect d'une Convention, je me sens silencieusement inconsolable du sort réservé à ces autres êtres vivants. Je reste triste dans ma chair.

Ici en haut de l'escalier, mon corps est touché bien avant ma conscience. À la vue de cette scène, des changements organiques s'opèrent en moi comme des réflexes immédiats. L'émotion, la tristesse ressentie viendra juste après. Mais tout s'enchaîne si vite dans une verticalité fulgurante, du bas vers le haut.

Si tout commence par le corps, ce corps réactif qui ne ment jamais, le mouvement du corps seul ne suffit pas à une totale et profonde transformation.

Car à la différence des animaux, nous possédons un cortex plus développé et par conséquent, nous avons une représentation mentale de la scène. Nous souffrons à la fois du coup en lui-même qui vient percuter le corps et de la représentation de la scène par les images et les divers questionnements sur sa raison.

Pour que l'alchimie réparatrice opère, il est nécessaire que tout mon être soit pris en compte dans sa globalité.

Pour cette raison, je décide de naviguer dans trois mondes : le monde souterrain, le monde intérieur et le monde extérieur. Je peux aussi nommer ces trois mondes : « l'organique profond » avec la sensation, la « connexion organique » avec les sentiments, le « concept » avec la situation.[11]

Je prends d'abord contact avec ce qui se présente de perturbant dans l'un des mondes. Ce peut être une situation, un sentiment, une sensation.

La perturbation est la conséquence d'un événement qui a eu lieu. Celle-ci prend toujours la forme d'une trace qui reste encore inscrite. Je cible alors ce qui est là et je me relie aux deux autres mondes afin de tracer le chemin d'une transformation globale.

Avec l'animal qui m'habite, je laisse émerger ce qui vient. À cet instant, dans le silence de la chair, j'ai confiance, mon être intérieur a une valeur, une connaissance, il sait ce dont il a besoin. L'animal logé dans mon organique profond déclenche les secousses qui traduisent le travail qui s'engage. Celles-ci en apportant une vibration différente transforment l'information et la diffusent au niveau de la connexion organique et au concept.

---

[11] Organique profond/connexion organique/concept : topique de l'Analyse Psycho-Organique.

Les trois mondes font alchimie et créent ainsi un réassemblage neuronal par une connexion corps-esprit.

Confiante de ce travail qui s'ouvre, je continue à appliquer mon protocole plus élaboré.

Dans mon souvenir, je suis adolescente et un proche me demande de prendre la parole alors qu'il sait que je ne maîtrise pas le sujet. Je pensais qu'il m'accompagnerait dans ma démarche, qu'il me soutiendrait, mais à la place il me teste et ricane de ma maladresse. Je sens de la colère envers lui que je retiens.

Je pense alors : « Je suis piégée. » J'aimerais tellement penser : « Je peux m'exprimer. »

À cet instant mes trois mondes sont réunis, la situation, la sensation, le sentiment.

Je me connecte à ces trois mondes et laisse venir mon animal. Les secousses se font rapidement sentir. Puis une image de mon enfance émerge : un taureau mécanique à l'entrée d'un supermarché. Cette animation était réservée aux enfants, les mouvements adaptés étaient doux et les séquences courtes. J'aimais monter sur ce taureau.

À la vue de cette image, je revis instantanément les mouvements sur le dos du taureau, les allers-retours d'avant en arrière, sur les côtés, la sensation de mon assise, de mon sacrum dans chaque changement de direction. Je sens ma force en m'accrochant à la poignée, le jeu sans surprise d'être ballotée dans une limite que j'intègre rapidement, que j'anticipe ensuite dans un contrôle puis un relâchement. Je vis que je suis contenue.

D'autres images défilent. Me revoilà maintenant adolescente face à celui qui tente de me déstabiliser. Mais ma base est dorénavant solide et je peux l'affronter. Droit dans les yeux, je lutte contre lui par d'intenses secousses, celles-ci au plus près des images en bousculent certaines, en dégomment d'autres jusqu'à finir par l'anéantir. Maintenant dans le réel mon corps d'adulte se détend, des larmes coulent et mon buste fait des allers-retours de gauche à droite dans un bercement. Puis le mouvement devient plus interne, j'ai la sensation d'un serpent qui se meut en moi, mon corps ondule puis se redresse et j'étire mon cou telle une tortue dont je vois l'image. La tortue sort de sa carapace, je m'étends, je m'élargis et je sens qu'enfin dans cet espace confiné, je peux m'exprimer.

Les secousses ont permis la libération d'un mouvement nécessaire à la transformation.

Grâce à l'énergie du tigre contactée, elles régulent mon émotion. En observant maintenant la situation, c'est comme un film que je vois défiler. J'ai pris de la distance et je ne suis plus touchée.

Bien rodée, je poursuis mes explorations et les souvenirs se succèdent !

À une scène perturbante, je décide cette fois de contacter d'autres situations similaires qui font écho à mon affect mais plus éloignées dans le temps. Je cherche là un souvenir « source ». J'ai le sentiment de prendre un ascenseur, je descends et je pars dans le vertical[12] pour me rendre à l'origine de cette souffrance.

---

[12] Les situations du passé.

Puis progressivement, du passé en allant vers le présent, comme en m'arrêtant à chaque étage, je traite les souvenirs rencontrés. L'immeuble est haut parfois... Je laisse venir pour chaque situation l'énergie de mon animal. Je suis alors traversée par de nombreuses secousses qui transforment et allègent ma perception de la situation. Les situations une fois traitées s'enchaînent une à une comme l'effet d'un domino que je visualise maintenant et qui tombe sous la poussée de l'autre, car ce qui retombe c'est bien la sensation de mal-être jusqu'à la sentir disparaître.

Je revisite différemment le passé : accompagnée par la puissance de l'animal et la sécurité qu'il me confère, je deviens sujet et non plus objet de la situation, active et non plus soumise à une représentation de la situation que je ne maîtrise pas.

La confiance acquise, je me sens maître de mon monde intime. Connectée au passé et bien présente à moi-même, je me mets en conscience duelle.

Ainsi je peux vivre ma perception différemment et me confronter à une expérience douloureuse en me laissant traverser par mes émotions et transformer ma perception de ce qui a été. Au travers des images et par la médiation de l'animal qui, avec ses qualités que je sens en moi, soutient mon processus, je découvre des impulsions puissantes qui permettent d'aller cette fois au bout de mon mouvement en répondant pleinement à mon besoin de réaction autrefois réprimé.

C'est l'animal qui spontanément s'exprime en moi et c'est alors le plaisir intense de sentir mon corps se mouvoir avec solidité et vivacité. Je redeviens actrice de mon propre mouvement.

L'animal inverse mon mouvement initial en autorisant l'expression de mon mouvement primitif. Il sait ce que mon corps doit vivre, il engage l'instinct et m'entraîne dans une dynamique vivante ressentie à travers mes images et mon propre mouvement.

Dans le corps, le doute n'existe pas. Je peux vivre en toute sécurité la situation et traverser le matériel traumatique en regardant se dérouler les images du passé pour finir par la transformer.

Dans ce processus, une image émerge un jour au moment précis de la transformation : l'ardoise magique de mon enfance.

Je me souviens de ce jeu, c'était une ardoise sur laquelle je traçais des traits en faisant tourner de manière simultanée deux petites manettes positionnées à chaque coin inférieur de l'écran. Mon élan résidait dans le remplissage de cet écran, d'un espace vacant que je souhaitais noircir absolument. Ensuite, afin de faire disparaître les traits que j'avais tracés avec véhémence, je saisissais frénétiquement l'ardoise et la secouais de toutes mes forces, de façon compulsive, afin de retrouver une surface vierge de toute trace, de toute lutte. Tout devait disparaître, redevenir comme avant. Il était parfois nécessaire de bien orienter la tablette en la secouant pour aller chercher des traces encore restantes çà et là, encore visibles près des coins. Lorsque l'ardoise était ancienne, les traces s'effaçaient difficilement ; je redoublais alors d'acharnement pour que tout disparaisse.

Comment ne pas supposer ce que j'étais en train de rejouer ; une situation, plusieurs sûrement. Car rien n'existe sans laisser de traces… J'avais été témoin. Mais cette fois, j'étais aux commandes et, en noircissant l'écran de cette tablette, j'intervenais et tentais une réparation pour moi-même.

Les traces disparues, tout redevenait clair et paisible comme du sable fin qui scintille. Et je commençais à nouveau ce jeu. Devant cette nouvelle surface, je sentais un possible chaque fois différent dans ma capacité à m'exprimer. Les tracés restaient similaires mais c'est dans la répétition, comme une décharge nécessaire, que je trouvais un soulagement.

Je peux penser que là précisément, pleinement engagé dans un mouvement frénétique, mon corps, en répondant à une nécessité, a fait naître les premières secousses.

L'image de l'ardoise magique est ainsi la représentation de ce processus de secousses qui permet par l'expression du corps la disparition de ce qui a été inscrit, de ce qui a marqué. Plus la trace résiste, plus l'événement a été vif, et plus les secousses s'intensifient. Cibler des situations, comme dans ce jeu ce qui doit disparaître, aller chercher dans les coins, tout au fond ce qui reste de résiduel, c'est aller au bout du processus de transformation.

L'ardoise magique est la première médiation que j'ai saisie enfant pour tenter inconsciemment de dégager du résiduel à un endroit où mon être s'immobilisait.

# Sortir de l'immobilité

Dans quelques semaines, je dois passer un examen médical important et j'ai peur. C'est une peur d'adulte, sérieuse, froide et silencieuse, une peur qui me ramène à la fragilité de la vie et au sacré de chaque instant car le résultat peut me faire chavirer. Je prends le temps d'une méditation et je me contacte les yeux fermés dans le respect de ce que je sens. Mon souffle est profond, les images émergent.

Me voilà située en haut du Grand Canyon, l'horizon à perte de vue, dans la nuit claire au bord du vide. Mon regard se porte loin devant, fixé sur un plateau rocheux que je dois atteindre. Mais avant cela, il me faut traverser cette longue distance aérienne. Je vois maintenant un long câble qui se tend pour relier d'un point à l'autre les deux flancs.

Là où je suis, au bout d'un chemin, je dois franchir le pas. J'ai peur de me lancer. Comment ne pas perdre l'équilibre ? Le tigre est à côté de moi, son regard projeté au loin, il reste étonnamment immobile. C'est une nouvelle attitude. Le silence imposant de l'absence de mouvement de l'animal semble annoncer un plus grand challenge et je perçois cela comme une ultime épreuve ; ma vie est en jeu. Pour la première fois, pendant plusieurs jours il me faut revenir constamment à cette méditation car je reste éperdument avec les mêmes images, rien d'autre ne vient, rien ne bouge. J'ai toutefois le sentiment que le temps de l'immobilité est celui d'une préparation nécessaire à la hauteur de l'enjeu. Dans le silence de la nuit, avec le tigre à mes côtés, j'ai l'intuition d'un mouvement intérieur qui se dessine, invisible, néanmoins présent comme la perception du mouvement de la nuit vers le jour qui progresse sans que nul ne le voie venir, jusqu'à l'apparition d'un léger éclaircissement ; tout va alors plus vite et l'on se hâte de profiter de la progression de la lumière.

La date de mon examen médical approche. Mon tigre est toujours là à mes côtés. À une nouvelle méditation, une nouvelle image me vient enfin : le tigre bouge, se tourne vers moi, allonge son cou et me prend dans sa gueule. Je me vois petit tigre. Et il s'engage sur le fil tel un funambule. Son déplacement est assuré, ses coussinets agissent comme des ventouses sur le câble et amortissent sa vibration. Les pattes du tigre maîtrisent une parfaite adhérence.

Je m'en remets pleinement à lui. Portée, nous traversons progressivement pour bientôt gagner l'autre côté de la montagne rocheuse. Le vide enfin franchi, le tigre me dépose au pied du premier plateau de pierre. Mon regard se porte alors sur le chemin parcouru et sur la terre enfin sous mes pieds. Mais le tigre ne tarde pas à me signifier que c'est à mon tour maintenant de reprendre seule le trajet inverse. Il sera présent pour moi ajoute-t-il.

Je me sens soutenue, je regarde le précipice qui soudain ne me paraît plus aussi profond et, malgré mon corps encore un peu fébrile, je me vois engager un premier pas sur le câble, puis un second. Très vite, je sens le tigre qui me suit, il est derrière moi et dans une parfaite guidance réajuste mes pas. Je m'arrête un peu, hésitante, je vois alors son corps passer au-dessus du mien avec ses pattes positionnées de chaque côté de mon propre corps pour mieux me contenir. Je me sens dorénavant pleinement protégée du vide et je peux continuer ma marche sur le câble en toute confiance. Je suis rassurée et j'entends dans le réel mon psychopéristaltisme[13] qui me signifie que je relâche la pression.

L'animal vient d'anticiper mes besoins, ceux d'être accompagnée sur ce chemin vertigineux. Maintenant, je me rends à ce rendez-vous médical en me sentant plus en confiance et en me laissant pleinement et magnifiquement accompagner.

Sortir de l'immobilité, tel est l'enjeu de ma rencontre avec cet être vivant.

Mon immobilité contactée, l'animal est déjà là. Sa présence me ramène dans mon corps et me maintient dans l'ici et maintenant.

J'investis le sol sous mes pieds, la solidité de ma colonne vertébrale en étant en pleine conscience de mes sensations corporelles. Ainsi il m'ancre dans une connexion organique.

Grâce à sa présence, je perçois l'immobilité différemment : je la vis comme un socle dans sa fonction de préparation à l'accumulation de l'énergie primaire. Un lieu tranquille où la conscience corporelle prend place et gagne de l'espace à partir de la sensation qui réveille l'énergie et se diffuse dans le corps pour ensuite pouvoir, tel un levier, me projeter vers l'extérieur.

Vivre quelque chose d'effrayant fige.

---

[13] Fonctionnement psychologique des vagues péristaltiques. Autorégulation de la tension nerveuse. *Entre psyché et soma*, Gerda Boyesen, éditions Payot, 1996.

Comme autrefois, en réaction à une peur irrationnelle, mon corps s'immobilisait soudainement. Je vivais cette immobilité comme un figement imposé mettant un frein au système interne qui s'emballait et demandait à bouger. Ce contre mouvement conflictuel m'amenait à perdre connaissance.

Je percevais la situation de manière tellement bouleversante que je me coupais du présent. C'était une façon d'isoler une expérience vécue trop intensément émotionnellement pour pouvoir l'intégrer.

Lors d'un accompagnement thérapeutique, un comportement se rejoue : angoissée, je fuis du regard ma thérapeute ; je suis pétrifiée.

Quelque part, une expérience passée se remémore dans le présent. Le transfert négatif envers ma thérapeute traduit un événement traumatique non digéré. Je semble revivre une scène comme si le danger était toujours présent et ceci sans aucun moyen de m'autoréguler.

Ma thérapeute me demande alors : « Qu'est-ce que tu vois en moi qui t'effraye ? »

Sans y avoir pensé au préalable, ma réponse est immédiate : « Tu sembles être Dark Vador ! »

À cet instant, je prends conscience de la force de mon histoire et de la symbolique du film « La guerre des étoiles » (titre à l'époque en français) qui m'a tant fascinée à sa sortie au cinéma lorsque j'avais 9 ans.

Dans cette figure obscure que je transfère, je vis un état dissociatif, je perçois la réalité de façon non organisée et mon comportement est inadapté. Je n'habite pas entièrement mon corps et cet état de désincarnation rend difficile mon engagement dans la réalité. Je suis bloquée par des schémas anciens qui se répètent et qui m'enferment dans une souffrance.

À cet endroit un pan du Moi est immobilisé et le mouvement de vie figé dans le contact à l'autre. Là où je suis arrêtée, porteuse d'aucune dynamique, je suis incapable d'agir.

Quel traumatisme marquant, plusieurs peut-être, me maintient dans un passé non résolu avec une telle force qu'il neutralise une partie de mon énergie et de mon mouvement ?

Recroquevillée sur moi-même, le tigre me vient soudain à la conscience. Je m'empare de cet instant et propose à ma thérapeute de me laisser faire appel à mon animal. Elle sourit, peut-être pense-t-elle que je tente de me débrouiller seule, une fâcheuse habitude... Mais à ce moment précis, je suis simplement en contact avec mon besoin qui fait émerger de façon instinctive et avec certitude l'évidence que l'animal peut m'aider à m'extirper de cet endroit.

Silencieusement, les yeux fermés, je plonge dans mon intérieur. Mon souffle est court et saccadé, mon corps verrouillé. À chaque inspiration, je tente de libérer un peu d'espace pour faire venir le tigre. Il vient de trouver une faille et s'engouffre maintenant à l'intérieur. Je sens qu'il s'installe et son énergie prend progressivement place au niveau de mon ventre. Je vois des cercles qui se forment autour de son mouvement comme des ronds dans l'eau qui se créent au point d'impact d'un caillou. L'énergie du tigre se transforme en oscillation, chaque cercle entraînant l'autre, puis se propage au niveau de mon sacrum. Mon corps commence à bouger par à-coups.

Je maintiens cette énergie vers le bas pour la laisser s'accumuler et s'affermir. Maintenant, les secousses surgissent entraînant mon corps à osciller de part et d'autre de mon axe vertical. L'animal à l'intérieur devient plus puissant, il bouge davantage. Les secousses se font plus fortes, plus visibles. L'accès à la partie supérieure de mon corps se dégage instinctivement à l'endroit des tensions, de la pression. Le mouvement de mon corps s'amplifie et lutte encore davantage. Je laisse faire, mon corps sait. Encore quelques secousses qui poussent, elles se font plus légères à un rythme plus distancié comme pour signifier bientôt la fin de la lutte. Mon plexus alors se détend, ma poitrine s'ouvre, mes épaules se relâchent et ma tête s'érige. Je sens mon axe vertical qui se réajuste. Je suis dorénavant alignée dans mon corps. Maintenant, je peux penser au corps de l'Autre, celui de ma thérapeute. Son être tout entier qui est là devant moi. Tout en restant présente à moi-même, bien ancrée, je visualise mon corps qui se projette vers le sien et je me connecte à elle. Un sentiment de bienveillance me traverse. Je sens que je grandis. Je reste encore quelques secondes pleinement remplie de ce nouvel état.

Puis j'ouvre les yeux. Je regarde ma thérapeute qui face à moi me regarde. Dans le silence qui se poursuit, je suis là, avec elle. Je prononce alors les premiers mots de cette nouvelle rencontre : « tu vois maintenant je peux te regarder sans peur, tout est calme pour moi. J'ai comme des chaussures de plomb et je pourrais même rester à te regarder très longtemps mais je crois que cette fois c'est toi qui ne pourrais pas soutenir mon regard ! ». Nous rions ensemble de mon assurance. « Je te félicite ! » me dit-elle. Je souris car c'est ma pleine reconnaissance que j'adresse déjà silencieusement au tigre.

Car l'animal a cet instinct de toujours chercher le passage optimal, celui de moindre résistance pour se frayer le chemin le plus juste. Par conséquent, bloquée dans une impasse, je me laisse en toute confiance guider par la connaissance de son mouvement instinctuel.

L'énergie primitive comme un noyau dur transforme là où il y a immobilité ou plus précisément où il y a une énergie résiduelle qui n'a pas pu se vivre car empêchée dans son mouvement. Là, il y a un besoin immédiat de trouver un mouvement libératoire. À cet endroit, le Ça vient percuter comme le tonnerre dans un ciel serein ! Je me rencontre en me surprenant moi-même, en étant étonnée, frappée par le tonnerre. En contact avec mon self profond, cette décharge vient bousculer la situation vécue en me rendant active avant de revenir à ma propre vibration, à mon équilibre.

Ainsi l'animal/je, dans une réaction énergétique, déchire le voile qui sépare pour enfin relier. Il m'est alors possible de retrouver une plénitude pour mieux m'unifier.

Dans cette traversée, je retrouve mon propre mouvement. Et c'est bien le fait de revenir à son mouvement interne primordial qui me fait sortir de l'inhibition et crée la rencontre avec l'autre.

L'animal qui vient à moi, c'est moi. Il incarne à la fois le conscient et l'inconscient. Un chemin se fraye avec le tigre qui mobilise le self pour engager un processus de dégagement intrapsychique et somatique.

Les expériences traumatiques morcellent. Un réseau d'états du Moi fragmentés s'est formé avec des souvenirs perturbants qui envahissent ma conscience et parfois mobilisent mon Être tout entier.

La dissociation altère l'alignement entre la psyché et le corps. Il m'est donc nécessaire de trouver des capacités d'identification du Moi, là où il y a des trous, afin de recréer une interface et remettre du Je dans le corps.

Dans le processus, l'animal visite les différents états du Moi isolé, remplit et diffuse à l'intérieur son énergie jusqu'à devenir une greffe dont le Moi a besoin pour relier les différentes parties du Moi dissociées.

Il contacte la partie la plus organique du Moi, le Moi corporel, en allant chercher la trace de mes premiers rythmes, de mes premières identifications, faite de sensori-motricité et d'affects.

L'animal ne vient pas seulement comme une représentation d'une fonction symbolique mais comme une possibilité de reconstruction d'une partie du Moi corporel qui fait défaut.

Face à une suradaptation, il est capable de prendre en charge ce qui me mobilise et remettre en jeu mon Moi corporel. Il prend en charge mon besoin, me permet de sortir d'une scène traumatique et consolider les parties fractionnées.

L'animal brise ainsi la chaîne de la paralysie et remet mon corps en mouvement.

À chaque moment vécu avec le tigre, j'ai le sentiment d'une présence plus intense à moi-même et aux choses. Ma confiance intérieure est plus forte, la réalité plus légère, la vision de la matière plus claire, ma voix plus posée dans les graves, mon corps plus habité, plus large, mes mouvements plus lents et plus amples. J'ai le temps, le temps devient extensible.

Quand je parviens à mettre en pause mes réactions pour fraterniser avec moi-même, à être curieuse et intéressée plutôt que réactive et pressée, je ralentis le temps. L'excitation s'apaise, mon sentiment d'urgence diminue.

Le tigre me ramène dans le présent avec la joie de me retrouver, une joie intime et silencieuse, qui ouvre à l'intérieur et attise la curiosité à l'extérieur. C'est le début d'un état de plaisir et d'expansion qui m'amène à une exploration ludique de ce qui m'entoure. L'ancrage éveille en moi une ouverture vers l'autre.

Cette expérience restaure mon rapport au présent en intégrant des perceptions différentes. Davantage en conscience, dans une nouvelle configuration, je peux recréer du lien avec les autres et mon environnement dans une identité plus structurée et, grâce à la libération de mes affects, dans une meilleure différenciation du passé, du présent et du futur.

Vivre l'instant présent comme l'animal qui ne considère ni le passé ni le futur, c'est être avec une énergie primitive, dans le Ça qui n'a pas d'âge, et néanmoins dans un tout : dans tout ce qu'on a été, tout ce qu'on est et tout ce qui est en devenir.

# Un corps plus large

L'espace au départ imaginaire s'est transformé en espace de perception.

L'animal configure le monde depuis son corps avec une grande capacité de projection physique dans l'espace. En sentant l'animal dans mon corps, je peux percevoir le monde extérieur comme l'extension de mon contenu. Je contacte alors un espace autour de moi. L'animal m'inspire, il m'aide à la création de cet espace et me permet d'y projeter mon activité. Si mon corps physique ne change pas, j'adopte une autre perspective qui configure différemment le monde autour de moi.

Reliée intensément à l'animal, je peux percevoir le point de départ de projection comme un rond-point commun qui nous réunit où s'enchevêtrent les racines de l'existence de cet être et celles de toute mon expérience vécue qui a créé mon rapport à moi-même et au monde. Cet endroit précis est crucial car c'est par lui que le dedans et le dehors communiquent, que se font les échanges avec le monde.

Le pont qui se crée entre la réalité et la subjectivité de l'animal me positionne dans un juste milieu ressenti comme un alignement corps/esprit. Je vis une présence à moi-même parfois de façon si intense qu'il m'arrive de percevoir la réalité comme lumineuse. Je retrouve ma propre vibration, comme une ondulation dans 3 directions : l'axe longitudinal, entre le haut et le bas ; l'axe transversal, celui qui nous relie à l'autre ; et l'axe antéropostérieur qui nous traverse d'arrière en avant représentant le rapport que nous avons avec le reste du monde.

Un sentiment de sphéricité qui est celui d'une perception sphérique du self émerge.

J'occupe dorénavant l'espace, je sens l'extension de mon corps comme une nouvelle transitionnalité où mon Je peut advenir dans sa propre identité.

Comme lorsque j'étais enfant, à travers l'activité ludique, le jeu, je récupérais un terrain dans lequel je jouissais de ma capacité à me relier à un univers. Je créais des ponts, des intermédiaires entre moi et la réalité où je pouvais être moi-même tout en étant en contact avec le monde. Cette aire de jeu était un espace transitionnel[14].

Ce besoin de faire appel à une aire transitionnelle reste toujours présent car il est impossible de vivre sans créativité, dans un état de soumission à la réalité.

Et il en est de même pour chaque situation difficile, un espace transitionnel est requis. C'est un temps où je me pose pour m'interroger et inventer une autre façon de me dégager de ce qui ne me convient plus. Je crée une zone intermédiaire, entre moi et le monde permettant de vivre les tensions entre mon monde intérieur et mon monde extérieur. C'est un lieu de

---

[14] *Jeu et réalité,* D.W. Winnicott, éditions Gallimard, 2001.

différenciation et aussi de plaisir, celui du Je/jeu dans une impulsion et un mouvement où j'acquiers face à mon environnement une identité plus forte.

Si l'animal révèle mon activité propre, il permet également de la développer. Car il agit sur elle : le mouvement de l'animal s'insère dans la spatialité de mon corps et devient moteur.

Je sens un espace vacant qui est un espace disponible, vécu par ma subjectivité comme une réalité remplie de vie.

Plus j'accrois mon activité propre, plus je renforce encore davantage ma perception de la spatialité de mon corps propre[15] entraînant une perception encore plus nette de l'espace du dedans et du dehors avec un pouvoir de projection plus grand. Je peux maintenant appréhender différemment l'espace extérieur.

Dans cette ouverture, je peux sentir mon potentiel, un monde intérieur qui révèle une dimension inattendue. Je ressens comme possible l'accomplissement de ma vraie nature avec le sentiment de pouvoir soulever des montagnes.

Dans cette nouvelle énergie et cette confiance acquises fleurissent des envies de projets à concrétiser. Il y a un désir soudain de sortir du déterminisme puisque le mouvement vers l'extérieur initialement retenu est maintenant libre de toute contrainte. L'énergie retrouvée peut retourner à la créativité.

---

[15] Notion de corps propre ou phénoménal : « l'expérience révèle sous l'espace objectif, dans lequel le corps finalement prend place, une spatialité primordiale dont la première n'est que l'enveloppe et qui se confond avec l'être même du corps. » Maurice Merleau-Ponty.

# Plus loin

Se projeter, oser changer, s'ouvrir à la nouveauté, reprendre le risque de se tromper pour mieux apprendre : l'animal a mobilisé la dimension de la pulsion et le possible réside dorénavant au cœur de Soi.

Le Soi est vaste, proche de notre vraie nature, de notre dimension fondamentale qui est là au tout début, depuis la naissance, inconsciente.

Le Soi est au centre d'un cercle de vie. Il contient toutes les réserves profondément organiques en termes de besoin, de désir, il est la matrice de la source à l'origine de notre existence. Le Soi est aussi la circonférence qui embrasse la totalité. Il englobe le Moi et tous ses états qui agissent sous différentes formes de régulation émotionnelle interne, les traces de l'expérience consciente et inconsciente, de perceptions subtiles liées aux échanges relationnels depuis la conception. Il renferme la somme de toute la vie vécue.

Pour devenir Soi-même, cela implique une conscience éveillée qui ne se limite pas au Moi. Cela passe par un processus progressif d'individuation, de remise en question, d'un retour vers soi, un regard profond vers l'intérieur sur ce que l'on a oublié de ce que l'on est vraiment.

L'incorporation de l'animal sauvage rend possible ce cheminement. Il apporte un retour à une identité organique d'où émerge un vrai self.

Cet être vivant nous guide pour nous mener à l'individuation par l'intégration du Soi dans des situations profondément accomplies. En suivant ses traces, elles nous conduisent à celles du Soi profond. L'animal est un processus créateur de Soi.

L'animal nous maintient en lien avec le monde, restructure et libère pour donner accès à un espace plus vaste, une forme de Soi élargi.

De là, d'autres rencontres sont possibles.

Ce soir installée dans mon canapé, attentive au silence, une autre forme est apparue : tout en rondeur, velue, l'image d'un grand singe est venue m'interpeller. Je me suis sentie appelée par cette nouvelle peau et progressivement prise dans cette forme, j'ai enlacé ce nouveau résident. Imprégnée par cette présence, j'ai soudain senti un besoin de dormir à même le sol, entourée de coussins.

J'y ai finalement renoncé. De ce « non » ce soir, j'en garde une liberté de choix, de mouvement envers ces êtres vivants qui parfois viennent me visiter. Je les remercie et je reste reliée.

Si le tigre s'éloigne, il reste l'Animal, celui qui a été et, quel que soit sa forme, sa symbolique, il est ce qui m'anime, ce qui agit en moi, dans ma chair et mon sang.

L'Animal est toujours là.

# Emprunter un chemin différemment

De mon cheminement avec l'animal et des résultats obtenus à travers la manifestation des secousses, l'idée d'un travail a émergé avec des personnes qui pour la plupart n'avaient jamais pratiqué le Qi gong du tigre.

Si les secousses me semblaient, de ma propre expérience, être l'élément de transformation, il n'existe heureusement pas qu'un seul chemin.

À travers un protocole établi, il est possible de contacter son animal et expérimenter des sensations corporelles autres que les secousses et devenir acteur de sa propre transformation.

Dans un premier temps, je propose de rencontrer son animal par le biais d'un rêve éveillé. L'animal est contacté à partir de la créativité propre de la personne.

## *Rêve éveillé* [16]

*Installez-vous dans une pièce où vous ne serez pas dérangé(e) durant le temps de ce rêve éveillé. Allongez-vous confortablement en vous réservant 1'heure afin de vous laisser aller sans contrainte de temps.*

*Imaginez-vous dans un lieu en pleine nature, un lieu que vous connaissez ou bien un lieu imaginaire, un lieu que vous appréciez particulièrement, où vous vous sentez bien, en sécurité. Prenez le temps de choisir cet endroit, de laisser venir les images et de vous sentir en contact avec ce lieu.*

*Vous allez maintenant chercher un trou dans la terre dans lequel vous pourrez vous engouffrer pour aller visiter le monde d'en bas. Ce peut être une grotte, un puits, un terrier... Regardez autour de vous, marchez un peu si nécessaire, explorez aux pieds des arbres, dans les herbes, le long des chemins...*

*Une fois trouvé, vous entrez progressivement et vous vous laissez descendre dans cet autre monde. Vous arrivez maintenant dans ce monde souterrain.*

*Laissez-vous découvrir ce nouveau paysage et vous laisser surprendre par votre imagination.*

*Pensez que vous allez rencontrer votre animal qui vous aidera dans votre quotidien. Vous pouvez l'appeler, le chercher ou le laisser venir à vous. Laissez les images émerger librement. Peut-être voyez-vous plusieurs animaux. Sentez si un lien particulier vous unit à lui. Vous pouvez lui demander : es-tu mon animal ? Laissez-le vous répondre à sa façon (par un signe de la tête, en se frottant à vous, en jouant avec vous...).*

---

[16] Revisite du rêve éveillé – *Psychothérapie et chamanisme*, Olivier Chambon, éditions Vega, 2012.

*Présentez-vous à lui, dites-lui pourquoi vous faites ce voyage, ce que vous attendez de lui, quelle aide vous êtes venu(e) chercher.*

*Demandez-lui comment il peut vous aider, quelles sont ses forces, ses qualités dont il peut vous faire bénéficier. À quel endroit dans votre corps il peut apporter un soutien.*

*Vous pouvez lui poser une question pour laquelle vous aimeriez une réponse rapide. Et voyez, sentez, imaginez comment il vous répond. Laissez-le vous répondre à sa façon, par des mouvements, par une image qui émerge... Si vous ne saisissez pas le sens de sa réponse, ne forcez pas, ne tentez pas d'interpréter, laissez faire ce qui se présente là, peut-être que vous comprendrez plus tard ; pour l'instant, c'est la rencontre qui importe.*

*Peut-être vous invite-t-il déjà à bouger votre corps ? Sentez ce qui se passe, comment votre corps réagit. Observez votre animal et laissez aller votre propre mouvement.*

*Prenez le temps de profiter de sa présence et sentez quand il sera bon de vous dire au revoir.*

*Maintenant, vous le remerciez de s'être manifesté à vous. Dites-lui que vous le retrouverez bientôt, sûrement d'une autre manière, que vous penserez à lui et que sa manifestation est la bienvenue.*

*Vous vous dirigez maintenant vers le trou par lequel vous êtes venu et vous faites le chemin inverse. Vous revenez à vous-même. Peut-être éprouvez-vous le besoin de bouger, de vous déployer à la façon de votre animal ? Autorisez-vous ce mouvement. Laissez votre corps vous guider.*

*Quand vous êtes prêt(e), ouvrez les yeux et observez ce qui vous habite.*

La première étape consiste en un travail d'incorporation de l'animal rencontré par la sensation car emprunter cette voie primitive, c'est tout d'abord sentir l'animal en soi. Le contact avec l'organique profond est indispensable afin que l'animal s'installe de façon consistante et devienne un point d'ancrage. Il est ensuite nécessaire de le faire vivre dans son corps afin de renforcer cet ancrage. C'est en approfondissant dans le soma que nous pouvons sentir en nous la potentialité primitive de l'animal.

Sentir l'animal, son mouvement qui devient progressivement le nôtre, faire corps, tel est le chemin pour « activer en soi les puissances d'un corps différent [17] ».

On pourra parfois avoir l'envie de bouger, être incité à se comporter différemment. En fonction de l'expérience de chacun, ce sera un appel à la vive réactivité du tigre, au louvoiement du serpent, au bondissement du loup, à la force tranquille de la panthère, la protection de l'éléphant, la vision du python, l'agilité du guépard, la force et la douceur du cheval sauvage, la légèreté du merle et sa vision pointue des choses… Autant d'animaux contactés que de qualités attribuées par les personnes qui en ont fait l'expérience.

La deuxième étape est un travail de désensibilisation qui s'effectue en mettant en alchimie la personne, l'animal, et la situation perturbante. En allant à la racine de la souffrance, en permettant à l'animal d'explorer cette zone, c'est déjà commencer à cet endroit le processus de transformation.

---

[17] *Sur la piste animale*, Baptiste Morizot, éditions Acte Sud, 2018.

Au travers de cette médiation, on va progressivement inscrire cette transformation dans la chair et restaurer des processus d'appropriation.

**Extraits de séances**

J'ai souhaité proposer ce travail à des personnes qui, malgré une certaine stabilité dans leur vie, étaient « coincées » à un endroit. De mon ressenti et au regard de leur capacité à contacter un animal, celui-ci semblait être la médiation appropriée pour les en dégager.

**A.**

A. est enseignant en Qi gong. Il a déjà contacté son propre animal : un serpent. Il n'a donc pas besoin de faire un travail préalable d'incorporation. Avec lui, nous explorons un travail de transformation à partir de cette énergie disponible en lui.

A. vient me voir en raison d'un sentiment récurrent d'enfermement et d'absence de liberté. Au travail précisément, il est dans un espace confiné et subit le rythme imposé sous l'autorité d'une femme.

Il a l'impression d'*être dans son giron* avec le sentiment d'*être étouffé*. Il aimerait pouvoir respirer.

À ma question : y a-t-il d'autres situations où tu as déjà eu ce sentiment : *j'étouffe* ?

Il lui vient une scène lorsqu'il avait 7 ans : il veut jouer dehors mais il n'a pas le droit. Une fenêtre donne sur l'extérieur mais l'accès lui est interdit. L'image perturbante est *l'extérieur à portée de main*.

78

Il a l'impression d'être prisonnier. Il aimerait se sentir libre. Sa tristesse est intense, il la sent au niveau de sa poitrine.

Je propose à sa partie adulte de dire à cet enfant qu'il comprend sa souffrance et qu'il va s'occuper de lui dans un instant. L'enfant va rester juste à côté de lui pour le moment.

Maintenant, je l'invite à contacter son animal.

Lorsqu'il est en contact, je lui propose, en gardant son animal en lui, de contacter l'enfant de 7 ans en sentant ce qui se passe dans sa poitrine.

J'accompagne alors par ma présence, dans le silence, ce qu'il vit corporellement. Je n'interviens pas immédiatement verbalement dans ce processus organique afin de respecter le mouvement alchimique de l'énergie interne.

En revanche, j'observe les changements corporels et j'interviens seulement à la fin d'un cycle marqué par divers signaux (ample respiration, déglutition, réflexe corporel).

Alors je demande ce qui est là. Et je l'invite ensuite à continuer le processus jusqu'à dissiper le blocage initial.

*Si je m'affirme, il y a une possibilité de réalisation. Dans mon corps, j'ai trouvé de l'espace entre la gorge et le ventre. La croyance d'impossibilité était plus traumatisante que l'absence de liberté.*

*Les secousses très fortes du serpent dans mon corps faisaient que les 2 consciences, celles de l'enfant et de l'adulte, se superposaient.*

*Puis la conscience a disparu pour laisser place à l'animal dans le corps. L'animal est là et il y a un moment d'absence d'une fraction de seconde où on n'est plus dans le cérébral, où la conscience s'abandonne, les secousses surgissent et ça change le point de vue sur la situation et ça régule.*

*L'animal permet une forte présence à la séance.*

*C'est l'animal qui a permis de détendre mon corps. L'animal est un lieu refuge mais c'est une partie de soi et c'est totalement différent d'un lieu de ressource.*

*L'animal soutient et je sens qu'il devient aussi pour moi un outil récupérable au quotidien.*

De loin en loin, après ce travail profond en séance avec son animal, il a transformé dans le réel : il a changé de travail et a trouvé un emploi au bord de la mer où il a pu pratiquer le Qi gong en respirant pleinement.

Aujourd'hui, il fait appel à son animal lors de situations de stress : il se met dans la peau du serpent. Il est centré, posé, il accapare la puissance animale. Il sent le serpent dans sa colonne vertébrale. C'est une sécurité très forte pour lui. Alors qu'auparavant il ruminait en boucle, maintenant il sent monter l'énergie, il la neutralise, se met en *mode arrêt*, son buste devient très droit, il est prêt. Il dit que cette énergie prend naissance dans le bas du ventre. Il vit cela comme un spasme orgastique.

Le *mode arrêt* qu'il nomme rappelle l'immobilité du corps qui permet l'accumulation de l'énergie primaire toujours dans un processus du bas vers le haut. Mais cet arrêt n'est pas vécu dans une immobilité qui fige, au contraire, c'est un lieu où la conscience corporelle prend place pour trouver la sensation qui va réveiller l'énergie.

# G.

G. a déjà contacté son propre animal : un loup. *Le loup est venu à moi*, dit-il.

Sa demande porte sur un problème récurrent : il est constamment en contact avec des gens qui veulent prendre le pouvoir et sont dans la manipulation.

Son amie pendant les vacances a souhaité tout décider sans lui donner le choix et a ravivé cette problématique.

Il a ici le sentiment d'être sans importance.

Ce sentiment le ramène à l'âge de 8 ans où il est victime d'attouchements par sa mère. Le sentiment qui lui vient est qu'il est inacceptable. Il sent de la colère qu'il situe au niveau du bas ventre.

Je lui propose de laisser venir à lui son animal. Puis je l'accompagne progressivement dans le processus.

Il dit : *le loup avec l'enfant ça ouvre, je réintègre mon corps, je sens une expansion. Je repousse ma mère pour marquer mon territoire. Je ne la laisse pas rentrer dans ma chambre, je m'affirme.*

À la fin de la séance, il ne sent plus aucune perturbation dans son corps. Il est en paix et dit : *je suis moi.*

*Avant le travail, ça se refermait tout le temps au niveau des organes. Pendant le travail, ça s'est ouvert. Le loup c'est sauvage et c'est bondir dans la vie. Il m'emmène dans mes projets. Là, je retrouve cet enfant intérieur avant le traumatisme. Le pont se fait à partir du chemin de l'enfance, de la joie de vivre, la force de vie, le loup m'amène à ça. Je sens de la continuité, ça relie le vide entre 8 et 9 ans* (G. n'a aucun souvenir de cette période). *C'est comme un faisceau de vie qui, avec une force incroyable, sépare ce vide en deux et qui fait qu'il n'y a plus d'emprise. Ce qui est fort c'est le lien entre avant et après.*

Après la séance, il a aussi pu se confronter à son père dans le réel. Son père l'a toujours critiqué, il était violent, G. n'était jamais assez bien pour lui. G. a eu l'occasion de s'affirmer lors d'un désaccord et a terminé en disant : *tu veux le dernier mot, je te le donne parce que j'en ai rien à foutre !* Il n'a pas culpabilisé mais a pensé de lui *je suis capable* et, accompagné de son animal en lui, il n'a pas eu de perte d'énergie. Il dit : *j'ai coupé à temps la colère pour rester au-dessus.*

L'animal ici contient de façon juste, il ne détruit pas l'autre mais s'affirme.

Ce jour-là, il devait après la visite chez son père se rendre dans le sud en voiture. Il dit qu'auparavant il n'aurait pas eu la force d'y aller car cette dispute avec son père aurait tout remis en question. Là, il a pu aller au bout de l'affirmation pour lui-même. Il accède maintenant au droit à du bon pour lui.

Il dit : *tout glisse, tout devient léger et simple, comme si c'était ça qui manquait, cette expérience pour transformer les choses.*

Au retour de son voyage, il a revu son père, ils ont pu parler ensemble et pour la première fois, son père a été bienveillant.

Maintenant son l'estomac et son sternum s'ouvrent. Il sent qu'il mémorise cette expérience au niveau cellulaire. Par ailleurs, il n'éprouve pas le besoin de faire des reproches à sa mère, il passe à autre chose. Au quotidien, il contacte cette ouverture. Il prend encore davantage conscience de l'importance de s'affirmer face à l'autre et remet maintenant en question la qualité de sa relation avec son amie.

# V.

V. manque de confiance en elle, elle a souvent le sentiment d'être nulle. Elle a grandi dans un environnement pauvre émotionnellement avec très peu d'échange et de communication. Elle a besoin de sentir une présence, un soutien. Elle me dit souvent : *je suis vide.*

Je propose à V. de rencontrer son animal à travers un rêve éveillé.

Elle contacte une panthère. Elle aimerait avoir sa force. Elle aurait besoin de cette force au niveau de son bas ventre. Elle réussit à la sentir à cet endroit précis et au-delà car la panthère remplit l'espace jusque dans son dos.

Elle sent alors davantage de sécurité avec le sentiment que quelqu'un l'accompagne.

Elle dit : *c'est moins vide. Ça m'ancre davantage dans la terre. Souvent, j'ai la sensation d'une coquille vide. Là, la panthère joue avec ma colonne, elle tourne en rond et se prépare à sauter sur quelqu'un qui peut m'inquiéter. Elle peut me protéger contre les personnes extérieures.*

Nous prenons le temps sur quelques séances d'ancrer davantage l'animal dans son corps.

*La panthère bouge, sort de mon ventre, revient, puis tourne à l'intérieur de mon ventre. Par le sang, la force de l'animal se répand dans mes jambes, mes bras. Je sens l'ancrage dans le sol, ça me stabilise.*

La proposition d'incorporer l'animal en partant d'un point d'ancrage est primordiale. Il est important d'avoir un endroit où contenir ce que la nature sauvage nous fait entendre et ressentir. Contenir permet de pallier les fuites d'énergie. Ici, V. accumule l'énergie au niveau du bas ventre.

Elle se voit maintenant marcher dans la forêt. Il y a des passages plus étroits mais l'animal est là et elle est confiante.

J'interviens pour l'inviter à explorer ces nouveaux lieux avec l'animal qui apporte force et sécurité.

*Je prends de la hauteur, je vais de branche en branche* (elle imite l'animal qu'elle porte dans son ventre). Puis la panthère devient plus petite, elle la sent mais elle ne la voit plus. Elle a envie de continuer à avancer.

Lorsque l'animal est suffisamment ancré, nous abordons la problématique :
V. est mal à l'aise au quotidien avec les personnes car elle se trouve inintéressante. Elle aimerait penser d'elle qu'elle a de la valeur.
Elle recontacte ce sentiment d'être inintéressante lorsqu'elle a 5 ans : elle voit le regard des personnes émerveillées par ses petites sœurs, elle est à côté et n'est pas considérée. Elle sent de la tristesse au niveau de la poitrine.
Je lui propose alors de contacter son animal.
La chaleur se répand dans sa poitrine. Puis l'animal a les poils qui se hérissent, il est en colère après cette situation. La panthère habite son buste, elle grogne à l'intérieur.

Je lui propose de rencontrer la petite V. en restant en contact avec la panthère.

*La panthère sort de moi et m'entoure petite, elle sèche mes larmes.* (Elle se souvient maintenant que sa peluche était une panthère et qu'elle rêvait petite de vivre avec elle dans la forêt.) *J'essaie de traverser le noir avec la panthère. Je longe un mur, et mes parents ainsi que des amis ne me remarquent pas. Je n'ai pas trop ma place avec eux.*

Moi : de quoi auriez-vous besoin ?

Elle : *monter sur scène, me montrer. La panthère entre en moi et je prends de la place, je suis moins délicate, je reprends ma joie de vivre, je marche d'un pas plus lourd, suis plus large, je fais un spectacle, je dis ce qui me passe par la tête, je ne suis plus timide. J'essaie de ressentir la force dans ma poitrine. Ça élargit un peu. La panthère avale le blocage au niveau de ma poitrine et je me sens plus légère. Je m'ouvre davantage.*


### Autre séance

Quand V. pense à la panthère, je peux voir que son corps se redresse spontanément, elle se sent plus forte.

À nouveau, elle contacte la situation où la petite fille reste figée. Elle sent de la tristesse localisée au niveau de sa poitrine.

Puis : *la panthère me rend plus forte, plus indifférente au regard des autres. Mes épaules s'élargissent, je sens de la force dans mes mains, je suis ancrée dans le sol.*

D'un coup, elle dit : *je suis trop douce, je n'aime pas changer d'image car je prends trop de place. J'ai peur*

*d'attirer le regard sur moi car j'ai peur de me mettre en valeur*
*et de pas être appréciée, je pourrais être rejetée.*

V. me parle à nouveau d'une coquille vide en elle.

À partir de l'image de la coquille vide et de la sensation de tensions au niveau de la poitrine, je lui propose d'amener son animal à cet endroit.

*Je sens de la chaleur, la panthère écarte avec ses pattes pour écraser la tension, elle libère la tension. Elle détend et remplit le vide. Je prends plus d'espace, mon corps est présent, lourd.*

Je lui demande de sentir que son corps s'élargit afin qu'elle puisse expérimenter son espace et prendre sa place.

*Je sens l'énergie autour de moi et qui s'étend jusqu'aux murs de la pièce. J'ai ma place. La panthère s'installe, elle a davantage de poids, hérisse le poil, montre sa rage. Je me sens plus sereine, plus joyeuse, tout glisse sur moi. La panthère me réunifie, ça s'éparpille dans mon cerveau, ça devient plus léger.*

Maintenant, quand je lui fais contacter l'image de départ, celle de la coquille vide, V. voit les gens séparément qui deviennent bienveillants envers elle.

L'animal a permis de contacter plus de sécurité afin de sentir l'apaisement intérieur. De cet apaisement, l'ouverture a été possible. Cette ouverture a pu distinguer le collectif, les gens, de l'individu qui peut être alors perçu comme accessible et bienveillant. La rencontre avec l'autre passe par l'apaisement de soi, par la rencontre d'abord avec soi-même.

## Autre séance

V. se sent moins vide maintenant. Elle fait appel à la panthère qui se met dorénavant directement dans son ventre et qui remplit toute la zone.

Je lui demande lors de cette séance d'être en contact avec cette zone située au niveau du ventre. Elle répond alors que la base du nombril remonte comme une tige qui vrille et elle sent son corps qui vibre. V. est de plus en plus en contact avec son énergie interne.

## Autre séance

V. a souvent le sentiment qu'on la frappe par-derrière.

On travaille une scène où elle voit son amie giflée par un clochard, elle a peur et elle hurle dans la rue pour demander de l'aide mais personne ne bouge, personne ne l'écoute. Elle ressent cette scène de façon très intense.

Elle a le sentiment que sa parole n'a pas de valeur et qu'elle-même est sans intérêt.

On travaille avec la dynamique de l'animal mais les images tournent en boucle, elle sent que ça lui colle à la peau et toute lutte est inefficace.

Je lui propose alors, au lieu d'être dans la lutte qui me paraissait indispensable au départ pour s'approprier sa force, d'être maintenant en contact avec le doux et l'assurance de la panthère. Il ne s'agit pas de baisser sa garde mais de contacter du plein dans une détente afin que le corps puisse s'élargir. Je lui demande de contacter une densité puis de regarder la scène et accueillir ce qui vient.

*Je vois une auréole qu'on n'ose pas approcher. Ça repousse et je reste ancrée et relâchée. Je suis moins rigide et je repousse en douceur, plus ferme sans être dure.*

Puis toujours en contact avec sa panthère : *ça renforce mon corps, ça calme et apporte plus de confiance. Ça élimine les mauvaises voix* (ici les injonctions qu'elle s'adresse). *Je sens tout mon corps jusqu'aux orteils avec l'impression qu'ils sont enfoncés dans le sol.*

Elle dit : *le regard des gens arrivait comme des pics, là ça glisse sur moi.*

Elle sent son animal à l'intérieur et à l'extérieur.

*J'ai davantage de puissance, j'ai davantage de mots, je suis prise au sérieux.*

Elle termine : *dans le souvenir réel, j'ai l'impression d'être du vent et là je suis ancrée et c'est leur faute à eux, c'est eux qui sont faibles.*


**Autre séance**

V. va bientôt recevoir son père chez elle et elle appréhende cette proximité. Elle se sent paralysée du côté gauche du visage.

Elle contacte sa panthère. Elle la sent dans tout le corps maintenant et elle a envie d'être en mouvement physiquement, dans le réel. Ce mouvement est nouveau pour elle !

C'est un mouvement interne (qui ne se voit pas à l'extérieur), intense pour elle, ça bouge comme un balancier au niveau du buste.

Elle occupe l'espace grâce à ce mouvement et elle dit que c'est l'enthousiasme de bouger qui lui fait remplir cet espace.

Je lui propose de rester accrochée comme une ancre à ce mouvement et de contacter cette paralysie du côté gauche.

*Le mouvement me pousse contre le mur pour casser la glace qui est du côté gauche et qui me paralyse. Quand je tape contre le mur, des mains me rattrapent pour me garder dans mon ancien monde : mes amis, ma famille ne veulent pas que je change. Je veux qu'ils m'aiment si je change !*

En contre-transfert, j'ai la sensation d'une énergie qui s'éveille accompagnée d'un sentiment de choix profond qu'elle doit faire, comme celui de mourir à un endroit pour renaître ailleurs, une lutte à mort pour la vie. Je lui demande alors si elle souhaite ce changement.

*Quand je suis venue vous voir, c'est ce que je cherchais.*

Elle part alors dans une série d'images : *je piétine les gens, la panthère est là et me donne la force. La force sort de mon corps et met le feu à ma peau pour tout détruire. J'enterre leurs mains, je dois changer de peau.*

Elle sent une traction qui veut faire sortir. Elle sent toujours le mouvement comme un pendule.

*C'est un mouvement qui me rend vivante, active. Je fais le ménage et je prends de la place pour moi. Je me libère dans la nature.*

Quand elle pense à son père maintenant, elle est très en mouvement, enthousiaste. Elle sent qu'elle a la capacité qui lui manquait.

*Je sens plus de curiosité. J'ai envie de continuer à sentir ce balancier.*

Dans le mouvement, elle dit que la panthère est un point d'ancrage pour elle.


## Autre séance

V. a peur des moments d'intimité avec son père. Elle a une peur qu'elle sait irrationnelle : la peur qu'il la touche sexuellement. Elle ressent cette peur au niveau de la poitrine.

J'ai proposé à V. de contacter la panthère et le mouvement de balancier qui se définit davantage comme un pendule.

La panthère est dans son ventre. La panthère avec sa force fait venir le pendule. Ce pendule devient le moteur de la panthère. Il se situe maintenant au niveau de la poitrine, elle sent des picotements, ça élimine son stress, et V. sent que son corps s'élargit.

Elle a différentes images de lutte, de transformation. Elle dit à la fin : *le désagréable a fondu, je dégage le goudron petit à petit.* Puis : *je sens qu'il y a des restes de ma jeunesse.* Elle me parle d'un film qu'elle a vu assez jeune où une jeune femme se fait violer. Enfant elle a vu sa sœur frappée par son père.

Je lui demande de repartir avec la panthère qui dégage tout ce goudron.

*Je lave tout, je vois un courant d'eau qui fait tout partir avec mon père, d'autres hommes. Je balaie, je nettoie tout.*

V. exprime son ressenti vis-à-vis du pendule : *je vis le centre de ma confiance en moi. J'ai l'impression d'être vivante, d'exister. C'est plein à l'intérieur. Ça tonifie mon corps pour aller de l'avant. Le pendule est puissant, ça fait écho au temps qui passe.*

Cette formule *ça fait écho au temps qui passe* est importante car le problème du trauma est précisément le temps qui s'arrête, le figement. Ici, tout semble rester en mouvement malgré le contact avec les scènes dérangeantes, et ce mouvement, c'est déjà passer à autre chose.

*Le pendule c'est ce qui fait que je suis unique. Avec la panthère, je suis plus forte que je ne pensais, je peux mettre une limite.*

Elle est maintenant en contact avec la violence de son père. Elle contacte la colère envers lui mais aussi envers sa mère qui n'a jamais rien dit.

Elle touche alors une tristesse profonde car elle comprend l'origine de tous ces moments où elle pleure intensément sans raison apparente. Elle dit *enfin ! Je ne savais pas ce que c'était.*

Dans la séance, la panthère lui donne de la force et lui permet de faire ce qu'elle aurait voulu faire : elle hurle sur ses parents, elle les détruit. Puis elle est en contact avec ce qu'ils auraient dû être, avec des parents symboliques.

*Y'a une bulle de mal-être qui éclate et tout s'explique. Le vide que je sentais explose et ça chauffe, je vois une couleur jaune qui prend de la place, un liquide qui diffuse de l'amour. J'ai la sensation d'être aimée et de pouvoir aimer.*

L'animal est l'allié du self là où la mère a été absente et où le père a été violent.

Prise par des mouvements de peur, sans personne pour la guider, elle trouve avec l'animal un allié pour la contenir, il apporte une fiabilité à toute épreuve, disponible de manière inconditionnelle.

Le vécu en termes de sensations est métamorphosé par le langage qui dit *je suis vide*, cognition négative qui exprime un Moi corporel défaillant avant d'être renforcé par la présence de l'animal qui apportera un sentiment de soi différent par l'expression finale d'une cognition positive *je suis remplie*.

### Autre séance

Avec sa panthère qu'elle ne voit plus mais qu'elle a intégrée, V. sent sa force comme un noyau dur au niveau du ventre et c'est une force qui n'est plus dorénavant en mode combat, mais plus profonde, davantage dans l'ancrage et la douceur. *Ça rend plus fort, plus large, plus posé.* Elle se sent solide et la situation ne l'atteint plus.

V. contacte ici l'introjection de la puissance de l'animal.

Elle nomme aussi quelque chose de nouveau : *je sens mon propre rythme*.

Notre rapport à notre être incarné est dépendant de notre accordage affectif à notre mère. Tout notre être émotionnel est lié à la façon dont, bébé, notre mère a pu interpréter, mettre en sens l'expression de notre sensorialité. La mère s'accorde à ce rythme comme un pendule, elle se rythme sur le bébé et rythme son bébé en même temps.

**P.**

P. a vécu une enfance de maltraitance, tant psychologique par les propos de sa mère, que physique par son père qui a abusé d'elle à 10 ans.

Petite elle a beaucoup regardé de films pornographiques chez son père.

Ce qui la préoccupe au quotidien c'est sa relation sexuelle avec son ami. Quand celui-ci tente de la pénétrer, elle pense alors à son père et se bloque.

Elle éprouve aussi du dégoût envers elle-même car à 7 ans elle a essayé avec un copain de *faire comme les grands*, reproduire ce qu'elle voyait dans les films pornographiques, pour finalement prendre peur et y renoncer.

Elle contacte son animal, un python. La qualité 1$^{re}$ qu'elle voit chez le python et dont elle a besoin est l'affirmation dans le regard. Très vite, un rapport affectif se crée avec ce python. Il tourne autour d'elle, puis se pose sur son corps, elle le sent, il peut la défendre.

Nous avons travaillé ensemble la scène avec ce copain, C., et le sentiment qu'elle avait : *je suis dégoûtante*. Elle sentait un dégoût très fort au niveau de la gorge et de la poitrine. En contactant le python en lien avec sa sensation, elle dit : *C. décolle de moi, il s'éloigne.*

Elle sent le python sur son épaule mais elle se voit figée.

Je lui propose alors de sentir le mouvement du python, sa bienveillance, de laisser bouger l'animal à l'endroit où elle sent que c'est figé car le python connaît le mouvement. Je travaille avec l'organique profond et le mouvement dans le corps afin de faire sortir la personne du figement.

Puis elle dit : *on a traversé avec l'animal, on regarde de loin l'endroit du bâtiment, je suis soulagée.* Puis elle caresse le python, *comme s'il avait un pelage* (J'entends « un peu l'âge », celui qu'elle n'avait pas…). Ça l'apaise.

La séance suivante, la scène devient floue, elle semble très éloignée et elle ne ressent aucune perturbation.

Nous nous intéressons ensuite à une scène pornographique qu'elle garde en mémoire et qui la perturbe beaucoup. Elle a du mal à en parler et à se focaliser sur l'image mais en contactant son animal, elle peut regarder la scène. Rapidement, son python rampe devant elle et détourne son attention de la télévision. Elle le regarde. Puis ils regardent ensemble par la fenêtre et elle peut voir la lumière du jour.

Elle me dit alors : *ce n'est pas mon image, je ne suis pas comme ça, comme ces filles. Je m'étais approprié la scène.*

L'identification aux actrices pornos est clairement nommée.

Je lui propose de continuer à faire émerger les images en compagnie de l'animal qui est là pour elle.

*Le python me parle : tu peux pas t'approprier ça, c'est pas toi, c'est juste une image dans une boîte.* Puis l'image pornographique n'est plus perturbante pour elle, elle ne se sent plus concernée par la situation.

P. me dira en fin de séance : *le python a atténué le traumatisme, c'est plus doux, l'animal a permis que ça devienne normal. Je suis sortie de la télévision, avant j'étais à l'intérieur et je suis sortie de la scène. C'est en contactant le python qui se trouvait en dehors de la scène que j'ai réalisé que j'étais moi-même en dehors de la scène.*

# A.

A. est une personne qui a été durement éduquée dans son enfance par l'absence de mots, de douceur. Elle est considérablement bloquée dans l'expression de ses sentiments et est très peu en contact avec son besoin. C'est une personne intelligente, à un poste à hautes responsabilités, mais qui gère difficilement les relations de proximité et fuit le risque de conflit. Elle a des difficultés à exprimer ce qui la dérange et s'enferme dans le mutisme au lieu d'affronter les discussions. Elle se fige alors littéralement. A. pense qu'elle ne mérite pas du bon pour elle.

Ce jour-là, elle ne peut pas parler et reste figée. Je lui propose alors le rêve éveillé afin qu'elle contacte un animal.

C'est l'image d'une panthère qui lui vient. Elle la sent rapidement à côté d'elle. Elle la voit, elle voit sa tête. Elles se regardent.

Je l'accompagne à rencontrer sa panthère.

Progressivement, la panthère la renifle, A. se laisse sentir. La panthère la touche, se frotte à elle, elle s'appuie sur elle et A. sent la force de l'appui.

Puis elle a besoin de la sentir au niveau de la poitrine. Je lui propose d'installer la panthère à cet endroit et lui demande ce qu'elle sent. Elle me répond que la panthère prend cette place, ça se remplit, elle comble un vide. A. se sent moins seule : *ça rassure, c'est paisible*.

Enfin, elle commence à me parler de ce mutisme en début de séance. Elle sentait de l'angoisse et l'animal a chassé cette angoisse. Elle dit qu'avant de sentir la panthère elle ne pouvait rien exprimer et que dorénavant elle sait que l'animal va lui permettre de dire les choses.

Après avoir parlé de ses difficultés au travail, elle dit *la panthère, ça pose dans le temps, mes pensées sont plus éloignées, ça me calme et je ne me sens plus seule dans ma difficulté au travail.*

Son visage est plus ouvert et détendu.

Pour A., c'est une séance surprenante et intense. C'est une étape d'apprivoisement de ses peurs d'être approchée, d'être touchée, comme si personne ne pouvait l'aider ni la comprendre.

Entre les séances, elle contacte régulièrement la panthère qui l'apaise.

À une séance suivante, elle sent une oppression au niveau de la poitrine. Elle n'a pas d'image mais ce qu'elle peut dire de ce qu'elle sent c'est la peur de ne pas être à la hauteur.

Elle imagine alors la panthère qui pose sa tête sur sa poitrine et c'est pour elle une sensation agréable.

Je lui propose de respirer et de sentir comment ça la nourrit.

Elle aimerait avoir sa force tranquille, être capable de prendre des décisions, aller de l'avant. Puis elle dit : *elle va m'aider à poser les choses, à ne pas être dans le flou. Je pourrais lui parler de mon stress éventuel, elle pourrait me montrer une marque d'affection.*

Alors qu'habituellement elle est figée et ne peut rien entrevoir, ici elle peut regarder sa difficulté et trouver une ressource, au lieu de se replier sur elle-même.

Avec la panthère, elle sent qu'elle peut éviter la panique et le mutisme.

Depuis cette séance, A. peut dire davantage et être dans l'échange. On peut parfois sentir cette volonté féroce de ne rien laisser passer pour elle-même, d'exprimer !

L'accordage affectif avec l'animal a permis de travailler sur son déficit d'expression. Elle a pu trouver un pont entre elle (son expérience) et le monde extérieur. Grâce à l'animal, A. a pu remettre en mouvement un endroit où la vie s'était arrêtée dans le contact à l'autre.

## L.

L. souffre de ne pas avoir suffisamment sa place au sein de sa famille car ses parents privilégient davantage les choix de sa sœur. En contactant cette situation, elle dit qu'elle se sent seule au monde. Elle aimerait se sentir entourée et pouvoir compter sur eux.

Cette situation la ramène à une scène lorsqu'elle a 5 ans, ses parents la laissent pleurer dans les escaliers. Elle se sent seule alors qu'elle aurait besoin d'être entourée.

Elle est triste et déconnectée, elle sent une boule dans la gorge.

Elle fait alors appel à son animal, un cheval sauvage. Elle voit qu'il pose sa tête sur ses cuisses, puis dans son cou, elle sent de la chaleur, il la rassure et l'apaise. Elle trouve un soutien auprès de son animal qui rapidement répare le manque.

À la fin de la séance, elle dit que la petite fille n'a besoin de rien d'autre, elle sent un cocon protecteur.

Nous continuons le travail à la séance suivante. Elle ressent encore un peu de tristesse. À nouveau en contact avec son animal, sa gorge se dénoue.

À la fin de la séance, elle sent des fourmis dans les bras *comme s'ils avaient été engourdis depuis longtemps*, dit-elle ; *ils sont vivants, ça circule, ça réchauffe jusqu'aux extrémités, c'est agréable*. J'entends alors son psychopéristaltisme qui traduit la digestion progressive de cet événement. Puis elle me dit qu'elle peut enfin sentir sa mâchoire détendue et à nouveau des fourmis dans les bras jusque dans les jambes. Elle vit un mouvement interne par une circulation énergétique.

L. trouve dans ce travail un réconfort, un contenant fiable auprès de son animal qui représente l'Autre qui aurait dû être là.

## M.

M. a constamment la sensation d'être figé au contact de femmes autoritaires et en particulier son ex-femme. Lorsqu'il était enfant, il n'a jamais été soutenu ni accompagné, ni par sa mère autoritaire ni par son père qui était soumis.

La 1$^{re}$ fois qu'il a ressenti ce figement, c'était face à sa mère.

Je lui propose alors un travail avec l'animal afin qu'il puisse être davantage en contact avec son corps et éveiller en lui l'instinct de réaction.

Il contacte un guépard.

Il le ressent au niveau du dos. Il intègre rapidement son animal et fait appel à lui au quotidien pour se positionner quand il se sent fragilisé.

Lors d'une séance, il évoque une scène quand enfant il subit les reproches de sa mère. Son animal lui permet alors de faire glisser les injonctions sur sa peau, de renforcer sa protection qui est trop fine. Puis il voit la fourrure de l'animal, elle le contient. À ce moment, il prend conscience que c'est à cet endroit précis que quelque chose a été cassé dans l'affirmation de sa personnalité.

Il aurait voulu que ses parents soient dynamiques et entreprenants. Il a grandi dans un milieu très fermé avec peu de contact.

Je lui propose de laisser venir son animal, se laisser guider, se laisser surprendre.

Les images émergent alors, il s'accroche à son ventre puis sur son dos.

M. sort de son environnement, l'animal le soutient, l'accompagne dans des fêtes foraines, les attractions. Il découvre un environnement gai et léger, enfin il peut jouer.

Il sent alors des stimuli, une excitation, de l'adrénaline. Il dit : *je me centre. J'ai l'image de bouts d'herbe et de bois que je réunis et je construis. Je sens de la force au niveau du dos.*

Puis il repart sur d'autres souvenirs, il fait des liens, il parle de son passé : chez lui, tout était pris au sérieux, il n'y avait pas de légèreté, l'absence de stimulation l'enfermait. Maintenant, il sent qu'il est en train de prendre les choses en main pour en sortir, il se sent plus léger, il peut enfin bouger.

L'animal l'aide à prendre de la distance vis-à-vis de la scène initiale avec sa mère. L'animal s'interpose entre sa mère et lui. M. observe la scène jusqu'à s'en détacher. Il ajoute que son père n'est pas un repère, qu'il est faible et qu'à sa place, face à l'autorité de sa mère, il aurait agi. Ce positionnement lui permet de sentir que son espace s'élargit, que tout s'éclaire.

Toujours en contact avec l'animal qu'il voit tournant autour de lui telle une armure qui le protège, il dit maintenant : *je ne suis pas à ma place dans ma vie.* Il lui vient alors l'image du guépard qui affronte son père, le mange puis met sa mère de côté. *J'ai éliminé mes parents. Ça m'apaise.*

La situation du départ avec sa mère ne le touche plus, il la regarde comme un film qui passe. Il se sent plus présent : *le filtre n'est plus là.* Habituellement, il me parle de coupure, de clivage, là il se sent relié.

*J'ai gagné quelque chose mais je n'arrive pas à le définir.* En disant cela, il ouvre les bras et ajoute *j'éloigne de moi les choses qui ne m'appartiennent pas. C'est lumineux et simple. Je franchis un pas de maturité.* Il prend conscience que petit il avait du potentiel mais les gens ont toujours exploité ses failles. Il sent maintenant que son corps gagne en vivacité.

En affrontant ses parents, M. délimite son territoire et récupère son propre espace.

Il dit cependant toujours sentir un trou qui est cette perception de n'avoir pas suffisamment été accompagné.

Au fil des séances, il a le sentiment de mieux décider de ce dont il a envie. Communiquer avec l'autre devient plus simple car son besoin est mieux défini et mieux senti et il ne subit plus les décisions des autres mais il s'affirme davantage, il en est fier. Ce qu'il perçoit du travail avec l'animal c'est qu'il laisse de l'espace pour que ses besoins émergent.

100

Il dit : *avec l'animal, je reconnecte les morceaux qui ont une vigueur différente. Je remets les choses à leur place, dans le présent. C'est comme une sonnette qui se déclenche.*

M. fait référence aux différentes parties de son Moi fragmenté qui se reconnectent, mais aussi à un éveil qui le sort d'une situation sclérosée et le ramène dans le présent, il n'est plus le petit garçon.

À une autre séance, il me dit au sujet de son ex-femme que pour la première fois il n'est plus anéanti par les attaques, il se sent capable de répondre. Il a la force de se dire que tant qu'elle ne le respecte pas, il ne lui répondra pas. Il sent une fermentation en lui (ça transforme…). Auparavant, dans le cadre de la procédure de son divorce, il serait rentré dans le tribunal la tête basse, maintenant il peut avoir la tête haute.

Ainsi le changement de sa posture psychique met également en mouvement son corps physique et l'érige dans une verticalité.

Lors d'une séance, il me dit être très proche de l'animal en matière de sensations et d'images. Il le voit à côté de lui, il n'a jamais été aussi présent. Ça le stimule, ça diffuse dans son corps. *La fatigue est là mais je peux être présent et c'est rare d'être présent quand je suis fatigué. Malgré la fatigue, une partie de moi est vive. Je me sens debout, pas encore installé mais j'ai la certitude que je peux me repérer, identifier comment avancer et explorer paisiblement ce qui est devant moi. J'ai mûri.*

Alors qu'auparavant il me parlait de trou, maintenant il me parle d'une plaie sensible qui commence à se refermer et qui n'est plus à vif.

Ce jour-là, juste avant qu'il m'exprime qu'il est particulièrement en contact avec son animal, je ressens l'atmosphère de la pièce qui devient différente, une présence toute particulière se manifeste comme si l'esprit de l'animal s'invitait là dans l'espace thérapeutique. Le départ de l'animal est également perceptible avant que M. ne me dise : *il vient de partir.*

Plusieurs souvenirs par ricochet ne sont plus actifs. Au quotidien, M. met de la distance, il se pose et quand il dit qu'il n'a pas d'obligation à répondre à la moindre sollicitation et qu'il ne ressent pas de culpabilité pour autant, je sens qu'il n'est plus dans l'urgence intérieurement, il n'est plus mobilisé par l'autre, sa limite est posée.

À une séance, je lui demande son ressenti envers son animal : *il est très proche, on a presque la même couleur maintenant. Au départ, mon mental n'était pas aligné avec mon corps, j'étais décalé, comme si dans ma tête j'avais un corps de 30 ans. Et là, tout est plus réuni. Je suis plus mûr et maintenant je peux défendre mes besoins en les exprimant pleinement. Avant je ne sentais pas que j'avais mon âge. Aujourd'hui, j'ai l'âge que je sens et c'est mon âge.*

À une autre séance, il dit que la perception précédente d'un trou en lui s'est remplie, c'est dorénavant une vallée. Plus tard, il a l'image d'un autocollant qui se détache progressivement puis il dit : *c'est moi qui décide de la place des choses.*

Nous avons souvent travaillé avec la douceur de l'animal. M. a exprimé que le guépard au repos lui apportait une relaxation et le sentiment d'avoir une forme définie. *Cette transformation, c'est récupérer ce que je suis, ma partie authentique ; c'est émouvant, c'est dur et solide. Avant je ne pouvais pas répondre à une personne en argumentant car je n'étais pas maître de moi-même. En récupérant ma partie authentique, je modifie mon dialogue, je peux dire les choses.*

Cette forme définie dont parle M. est le constat que le clivage disparaît. M. se relie.

Le travail avec le doux et la dynamique est primordial. Il est nécessaire de pouvoir s'ériger de manière phallique mais aussi de pouvoir se contenir de façon très protectrice pour préserver son noyau, son intime.

Aujourd'hui M. a divorcé et met en place un nouveau projet professionnel. Il se projette dans l'avenir en assumant ses choix.

À l'endroit où chacun a souffert, il peut dorénavant regarder avec légèreté ce qui a été et ouvrir des portes donnant sur de nouveaux chemins et des possibles différents. Tout s'invente, se réinvente, avec des forces nouvelles, singulières.

Laissons l'animal nous investir, nous instruire pour mieux incarner la vie. Puisons la richesse de ce qu'il nous offre, celle qui nous ramène à notre nature intime, sacrée, qui est le fondement de ce que nous sommes, du « Je existe ».

# Conclusion

En chacun de nous, être vivant, réside un mouvement perpétuel, celui de la vie.

Parce que le mouvement est énergie, il est crucial de se laisser traverser par ce qu'il agit. Quelle que soit la nature de ce mouvement ou sa forme – une ondulation, une spirale, un fil que celui-ci déroule ou une posture qu'il impose – faisons-lui confiance et permettons sa libération, sans retenir, sans forcer, sans intention aucune, car il est l'expression de notre besoin profond.

Dans ce laisser-faire, nous pouvons alors toucher des moments d'ajustement pertinents dont les effets sont ensuite ressentis. Car de ces accords au corps qui s'ajustent et nous rendent plus vivants, la perception de notre quotidien s'en trouve transformée et par là même notre propre vision de la réalité.

Il y a partout des frontières à repousser, des territoires à explorer qui permettent d'accéder à une plus large réalité.

Mais dans ce qui réside en nous, dans la continuité du mouvement déjà engagé, il y a un chemin qui nous conduira à un monde plus grand.

*Tout advient sans qu'il (le sage) se l'approprie, se fait sans qu'il s'y donne, et s'accomplit sans qu'il s'y installe.*

Laozi

# Remerciements

On n'écrit jamais seul.

Je remercie mon superviseur, Éric Champ, qui m'a offert en toute confiance un espace d'expression précieux au sein de notre groupe de supervision. Il a su m'aiguiller par son esprit d'ouverture et la finesse de ses analyses.

Merci à Christiane Gesrel, Élisabeth Quétier, Hélène Pédron, Marc Cavalié, Yann Bonny pour leur vif intérêt porté à ma démarche et pour la justesse de leurs retours.

Tous, dans votre singularité et par votre adhésion, vous avez été d'un soutien sans faille et un lieu de ralliement.

Merci à Marie Abita pour sa relecture si sensible, Brigitte Crenn pour sa vision pragmatique et Élisabeth Quétier pour son expertise et son partage.

Merci à Kunlin Zhang.

# Bibliographie

*Sur la piste animale*, Baptiste Morizot, éditions Acte Sud, 2018.

*Manières d'être vivant*, Baptiste Morizot, éditions Acte Sud, 2020.

*La mémoire traumatique*, Boris Cyrulnik, conférence, 2012.

*Femmes qui courent avec les loups*, Clarissa Pinkola Estés, éditions Grasset, 1996.

*Le Moi et le Ça*, Sigmund Freud, éditions Payot, 2010.

*L'Analyse Psycho-Organique*, Éric Champ, Anne Fraisse, Marc Tocquet, éditions L'Harmattan, 2015.

*Réveiller le tigre, guérir le traumatisme*, Peter A. Lévine, éditions InterEditions, 2013.

*Psychothérapie et chamanisme*, Olivier Chambon, éditions Vega, 2012.

*Jeu et réalité*, D.W. Winnicott, éditions Gallimard, 2001.

*Entre psyché et soma*, Gerda Boyesen, éditions Payot, 1996

Imprimé en Allemagne
Achevé d'imprimer en septembre 2022
Dépôt légal : septembre 2022

Pour

Le Lys Bleu Éditions
40, rue du Louvre
75001 Paris